環境が芸術《アート》になるとき

肌理《きめ》の芸術論

髙橋 憲人
Takahashi Kento

春秋社

目次

環境が芸術《アート》になるとき　肌理《きめ》の芸術論

環境が芸術《アート》になるとき——肌理《きめ》の芸術論

序

高校生のときの一場面である。私は、何の用事があったのか、美術の先生を訪ねて美術室の戸を開けた。すると一枚の下絵を前に、先生と美術部員の女子生徒が話し込んでいた。生徒はいわゆるサブカル女子で、下絵は、ヒトの手が心臓を握り潰しているイラストのものであった。どうやらそのイラストは、なにかのポスターの公募に応募する予定のものらしい。真面目な先生は、彼女に「これを出すんだったら、本物の心臓みたいではなく、あえてカラフルな色で塗りなさい」というアドバイスをしていた。このたわいのない記憶は、もちろんのこと忘れ去られていたのであるが、それから何年かが経ったある日、ふと思い出されることになる。そのきっかけが鷲田清一の『じぶん・この不思議な存在』の一節である。

一九九〇年代初頭、少女たちのあいだで、うんちを模したクッキーや、昆虫入りのグミ、寄生虫博物館の展示などが流行していることを耳にした鷲田は、ひびのこずえ（当時は内藤こずえ）のコスチューム展の会場で、少女たちの一群を目にする。少女たちは、「蛙の卵を帯のように巻いた服や、いそぎんちゃくを巨大にしたような帽子、寄生虫がぎっしり這っているようなシャツや、繭か魚の卵を思わせる白い玉の蝟集するドレス」（鷲田1996：60）を前に「カワイー」「キレイ」と嬌声を上げていた。

デオドラント商品の香りの膜で自分の体表をガードし、不潔を遠ざけようとしている少女たちが、一方では気色悪い、汚い、グロテスクと形容されるようなモノを愛好している。その矛盾を前にした鷲田は、そこに肌理《きめ》が欠如していることを発見する。鷲田（同：61-63）は言う。

> ふと気になったのが、ものの肌理、つまりテクスチュアのこと。……あの透明のラップに包まれた野菜のそれである。色とりどりの野菜、いろいろな硬さ、いろいろな肌ざわりの野菜が、スーパーではまったく同じテクスチュアをしている。そこでは、透明の被膜越しにしか関係が起こらない。つまり、さわりながら接触は回避されている。……産毛がなくなる、毛にかかる圧力がなくなる、すると触覚がにぶる、世界から肌理のニュアンスが消える、すべてのものが一様のテクスチュアとして現われてくる…。

モノの生々しさ、リアリティは肌理によって感じることができる。ただその外形だけを写したもの、あるいは肌理を隔てられたものは、リアリティを失うのである。ゆえに美術部員の女子生徒は、握り潰された心臓のイラストを、吐き気を催さずに描くことができるし、美術の先生は、それをさらに現実の臓器とはかけ離れた色彩で塗らせることで、安心して倫理的な教育者を自任することができる。そして、潔癖になった世の中が、人々の身の回りの肌理への無関心を生み、センシティビティを鈍らせるという議論は、鷲田のそれに限ったものではない。たとえば、彫刻家の佐藤忠良（1997：9）は、同じ一九九〇年代、『触ることから始めよう』のなかで、美大生の触覚の衰えを嘆いている。ここまでの話から分かるように、肌理とは視覚で捉えられると同時に触知性（tactility）とも関係があるものなのである。

ここで、ふたたび私の話に戻りたい。冒頭の場面と同じ高校生の頃、私は、エッセイストで、漆の日常食器の普及に尽力してきた高森寛子の『漆の器それぞれ』を手にしたことがきっかけで、漆器の塗面に魅せられることとなる。この本で取り上げてられている日本各地の漆器作家の塗椀は、プラスチックのイミテーションや代替塗料を吹き付けたものは当然のことながら、そこら辺のインテリアショップで売っているテカテカした塗面の漆器とも一線を画するものだった。この本の漆器たちには、肌理があった。

上塗りの後に研磨を施さない漆器の仕上げを、「塗立」という。そのなかでも、油を添加しない漆で塗られたものは、半透明の塗面の奥に微細なラメパウダーが沈んでいるような鈍い肌理を持っている。それが朱塗りの漆器であれば、同心円状の刷毛の軌跡に沿って、朱色と茶褐色のグラデーションが織りなす別のレイヤーの肌理もある。前者は、漆のそのものの粒子に由来し、生の漆を加熱攪拌して精製する際に、粒子同士が擦れて細かくなることで生まれる。後者は、朱漆を上塗りした際に生まれる。朱漆は精製漆と朱（硫化水銀）の粉末を、根気強く練って濾したものである。それを上塗り刷毛で塗っていくわけであるが、最後に運んだ同心円上の刷毛目は、漆の表面張力によって塗面が硬化するまでには引き、平らな表面仕上げとなる。しかし、朱の比重は漆に対して非常に大きいので、刷毛目が引くまでのあいだに朱が塗膜の奥に沈み、刷毛目の凹部分だったところが朱色寄り、凸部分だったところが茶褐色寄り（精製漆の色）になる。つまり、つくり手の刷毛の運びの痕跡が肌理となっている。

　二〇一九年のある日、私は、偶然そのような朱塗り漆器の塗面を見た友人のデザイナーの口から、「touch が見える」という呟きを聞き、ハッとした。そうか、漆器の肌理が、つくり手の身体と漆という素材とが触れ合う界面に生まれる以上、肌理とは texture や grain であると同時に touch でもあるのだ。そして、私が漆器を愛でるとき、私は私の目で、指で、唇で、その touch を辿っているのである。

　偶然は重なるもので、翌年の二〇二〇年の冬、骨董街としては滅びかけた西荻窪に現れた新進気鋭の骨董店 poubelle のインスタグラムをチェックしていた私は、写真家の川村恵理の写真集『touch of the urban skin 都市の肌理』の出版記念展示会が開催されることを知る。なんと、ここでも肌理がtouchと訳されているではないか。急いでその写真集を取り寄せてみると、そこには様々な接触の痕跡が刻まれた渋谷駅周辺の地面や壁面、ガラスなどの肌理があった。川村（2020：77）は言う。

> カサブタについて。子どもの頃に感じたことを、なにか覚えているだろうか。
> 気付かないうちに剥がれ、その下に順番を待っていた新しい皮膚を見た瞬間の事は？
> ……
> まるで掴みどころの無い思考を持て余し、気持ちを落ち着かせようとあちこちに目をやる。
> 見えるのは、壁や地面、硝子、光の現象。
> ……
> どの街も、どんな人も、もう戻れぬ時を生きている。
> やがて代謝し見えなくなるであろう、変化の潮目にある都市の肌理。
> touch of the urban skinは、その一端をここに留めている。

都市は、そこで生きるヒトの無数の接触によって、日々摩滅を重ねている。もっと大きなレイヤーでは、ヒトのそのときどきの都合によって都市は無限にかたちを変えていく。そういう意味では、都市そのものが織り直され続ける織目（texture）なのかもしれない。そして、それ以上に都市は、日々、風や雨や日差しという大気現象に蝕まれることで、風化というさらに大きな痕跡を刻み続けられているのである。その字源は別であるにもかかわらず、日本語で同音の「触」と「蝕」の類似に意義を見出したのは、書家の石川九楊（2009：40）であるが、彼の顰に倣えば「触る」ことと「蝕む」ことは、どちらも接触の痕跡を残すことである。ここに、世界の生成変化と、ヒトによるつくることとの同質性を見出そうするのが、社会人類学のティム・インゴルドであり、そこで用いられる概念が「織地性《テクスティリティ》（textility）」*（インゴルド 2021：485）なのである。本書は、この織地性《テクスティリティ》をキーワードに、環境と芸術、〈成ること〉と〈つくること〉との関わりを問い直す試みである。

本論に入る前に、もう一人、肌理を撮り続けた写真家として石内都に触れておきたい。石内は、多摩美術大学でグラフィックデザインと染織を学んだ後に中退し、写真の技術は独学である。彼女は、写真家活動の初期から徹底して肌理を撮り続けている。それは、ざらついた横浜の風景だったり、広島で被爆した女性たちが纏っていた衣服だったり、皮膚に刻まれた皺や傷

＊インゴルドによる造語である。texture に「状態」「性質」を示す抽象名詞語尾 -ity を付けたテクスト性（textuality）は既に文学研究で用いられているため、textile＋ity のこの語が考案されたと考えられる。

跡だったりする。石内にとって写真とは、美大で学んだ染織と連続性を持つものなのだ。「暗室作業のプロセスは染色の水仕事と同じで、印刷紙が布のような感触」（石内 2017：20）なのである。彼女は、暗室のなかで光の粒子の痕跡を染め出している。そして、その痕跡は決して、無くなった過去の出来事の示唆に終始するものではないのである。写真集『肌理と写真（GRAIN AND IMAGE）』に寄せて、石内（同：21）は言う。

広島の少女が着ていたワンピースの花模様の布地のヒダに、ひっそりと隠れていた彩色の美しさに気付いた時、そのワンピースは過去になれない歴史の現し身となり、染め上げられた時間のかたまりとなって、私と同時進行中の現実であるということを、広島の少女が教えてくれた。

第Ⅰ部

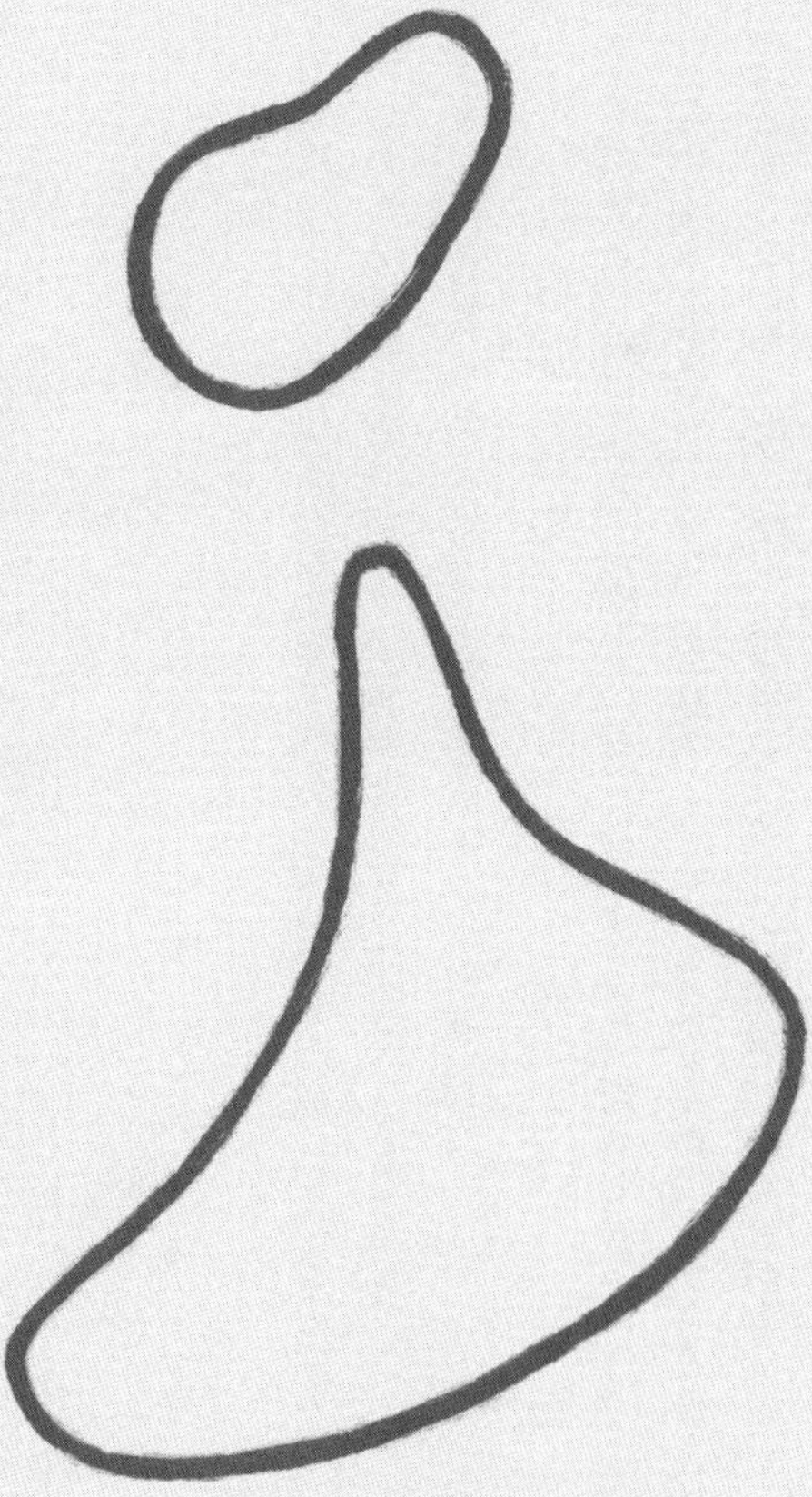

第1章　身ぶりとしてのランドスケープ

南仏の田舎町に船乗りと農民の子として生まれた少年は、水兵を経験した後に哲学者となり、晩年はアカデミー・フランセーズの会員に選出された。都市生活者の仲間入りを果たして久しい八十路手前の彼は、少年（＝「田舎者」）だった頃の感触を次のように書き記す。

> ……私たちは少なくとも漠然と、自分たちが無限の、身に迫るような、錯綜した、巨きな何ものかのなかに浸っていることを識《し》っていた。それがどういう名前なのかは分からなかったが、しかしそれはぎざぎざになった雲縁や、雄鶏の夜の叫び、草のなかで風がうなる声と関わりのあるものであった。――この蠢き、めぐる環境に支配され、その偶然のうちに投げ出されていることを識《し》っていたのだ。
> （セール 2016：56）

ヒトは常に「巨きな何ものか」、つまり流動する環境のなかで生きている。* ヒトを取り巻く環境はヒトに生きることを提供し、ヒトは生きることで周囲の環境をかたちづくっていく。しかし、土地の居住者たちがそのなかで様々なモノゴトと混淆する環境を、ヴァカンスに訪れた都市生活者たちは、審美的な「自然」として対象化する。彼らにとって「自然」は、観察される対象（object）として、内的主体（subject）としての彼らの外部に据え置かれている。このような西洋に一般的な世界観は、「自然主義（naturalism）」と呼ばれる。自然主義において、「能動的で、内面性を備えた人間たち、主体たち、人格たち、集団たちは、知覚し、観察し、感じ、思考し……知る、そして意志を備えているので、外部にある受動的な対象《オブジェクト》たちを、変形する」（同：111）。そこにはただ一つの普遍的な「自然」だけが存在し、それを知覚し、感じ、思考する様態は各々の特殊な「文化」よって規定される。ここで環境は、即物的でありながら審美的でもある二重の「自然」として観察されるものとなる。レイモンド・ウィリアムズ（1985：166）が指摘するように、環境の動きや相貌に魅せられ、それを眺めた人々は遥か昔から存在していたが、自然主義的な観察は、彼らとは全く別種の観察者の登場によってもたらされる。それは、「眺めることを経験そのものとして意識し」「その経験を確証し正当化するためにどこか他所から社会的モデルや類似例《アナロジー》を調達してきた」（ウィリアムズ同）者たちである。

＊日本語で「環境」と訳されるenvironmentという語は、古フランス語のviron（周囲）を語源とするenviron（包囲する、取り巻く）から派生している（ウィリアムズ 2011：179）。

現代の日本において環境の「自然」化という問題を考えたとき、その好例となるのが文化遺産化されたランドスケープ（landscape）であろう。文化遺産化されたランドスケープとして、文化財保護法に基づく「文化的景観」、日本造園学会が選定する「ランドスケープ遺産」などがあげられる。ランドスケープを視覚的な眺めに限定しなければ、一九九六年に当時の環境庁が選定した「残したい日本の音風景」もその範疇といえる。これらの選定基準に共通するのは、そのランドスケープがヒトとの相互作用によってかたちづくられた場であるということだ。

たとえば「文化的景観」には「地域における人々の生活又は生業及び当該地域の風土によって形成された景観地」（文化財保護法第二条第一項第五号）、「ランドスケープ遺産」には「自然と人為の相互作用によって積み重ねられてきた文化の表れ」（日本造園学会）、「残したい日本の音風景」には「人々が地域のシンボルとして大切にし、将来に残していきたいと願っている音の聞こえる環境」（環境省）といった記述がある。しかし一方で、文化遺産とは「過去の遺物を体系化された学術的知によって価値づけ、永久に保存すべき共有の財産とする」（木村至聖 2007：4）ものである。つまり、文化遺産化されたランドスケープは、外部者の眼差しによって価値づけられ、保存されるべき価値を持つものとして誰しもが外から眺めたり聴いたりできる対象物となる。ヒトとの相互作用によって形成されてきた動的な側面を評価されたはずのランドスケープが、その価値付けによってラベリングされ、文化遺産のリストのなかに一様に並べられるというジレンマが生じる。さらに、文化遺産としてのランドスケープが観光資源として活用されれば、事態はさらに深刻なものとなる。なぜなら、土地をかたちづくりながらそこで生きてきた居住者たちは、その土地を観光資源として自覚することで、それを価値付けた外部者の眼差しを内面化してしまうからである（木村同：13）。

1　旅行者の眺望

西洋世界における客体としての「自然」の発見が語られるとき、多くの場合ランドスケープという語が持ち出される（たとえば雪山 2003）。「自然の発見」を象徴する出来事として語られるのが、一三三六年にペトラルカが行った南仏のモン・ヴァントゥへの登山である。その山頂で、ペトラルカが発見した美的眺望としての「自然」が、ランドスケープであるとされる（リッター 2002：189）。ペトラルカ（1989：70-71）は、そのときの体験を、ディオニジ・ダ・ボルゴ＝サン＝セポルクロへの書簡に記している。

> 最初、ただならぬさわやかな大気、ひろびろと打ちひらけた眺望に感動し、私は茫然として立ちつくしました。ふりむいて見わたせば、足下には雲があります。……告白しますと、私の肉眼というよりはむしろ心に、イタリアの空があらわれ、私はそれにむかってあこがれました。そして友人や祖国に再会したいという激しい熱望におそわれました。

目下に広がる非日常の光景に驚嘆するペトラルカであったが、それを通して彼が見ていたものは、アトスやオリュンポスといったギリシアの聖地、ハンニバルのアルプス越え、そして故郷の空であった。彼にとって、モン・ヴァントゥの頂から眺める連峰は、後のルネサンス以降の絵画のなかに描かれる風景と同様に、既知のイメージや物語が投影される舞台としての「自然」である。ゆえに、このペトラルカの登山は、十五世紀の建築理論家レオン・バッティスタ・アルベルティによって理論化された遠近法（perspective）を基盤とする西洋絵画の視点を先取りする逸話として扱われている。しかし、目の前の風景に、伝説的過去のイメージや物語との類似を見いだすペトラルカの眼は、やはり中世・ルネサンスの視覚性を脱してはいない。第2章で述べるように、遠近法から自然主義的な視覚性が生み出されるには、十七世紀を待たなくてはならない。

自然主義的な視覚性の日本への移入を、柄谷行人は日本における文学の誕生から繙く。柄谷が「日本の小説で風景としての風景が自覚的に描かれた」（柄谷 2008：24）初めての文学作品と指摘するのが、国木田独歩の『忘れえぬ人々』である。『忘れえぬ人々』の主人公である文学者の大津は、旅先の風景のなかに見た名も知らぬ人々について書き留める習慣があり、「忘れえぬ人々」と題したその原稿を常に持ち歩いている。「忘れえぬ人々」に描かれる人々は、風景の一部として大津の心のなかに時折不意に現れてくる。ゆえに彼らは「忘れえぬ人々」なのである。あるとき大津は、宿でたまたま知り合った画家の秋山と親しく語り合い、彼にこの原稿の内容を話して聞かせる。それから数年後、「忘れえぬ人々」の原稿には、宿で秋山と話した日の記憶が加筆されることになる。しかし、大津がそこに描き足したのは、秋山ではなく、名も知らぬ宿の主人であった。つまり、大津が関心を寄せるのは、実際に濃密な関係を結んだ他者ではなく、孤独で内面的な自我の状態と恣意的に結びつけられた風景のなかの人物、あるいは風景としての人物である。柄谷（同：28-29）は言う。

> 周囲の外的なものに無関心であるような「内的人間」inner man において、はじめて風景が見出される。風景は、むしろ「外」をみない人間によって見出されたのである。

風景を一望する者の眼差しは、山の麓や中腹で土や木々や獣と交わりながら生活を営む、居住者としての木地師や猟師のそれではなく、都市から物見にやってきた旅行者や、世界をグリッドの上に再構築しようとする地図製作者のものである。それは、自らの身体で世界と絡み合うことなく、一定の距離を保った視点から世界を対象化するものの見方である。たとえば、加藤典洋（1992）は、ある場所を風景として見つめることは、その場所を「没場所化」することであると指摘する。大津は、彼の目の前に広がる世界を、動的なあるいは感覚的な側面を排除した対象、つまり「自然」として「没場所化」しているがゆえに、そこに自身の主観を自由に投影することができる。しかし、ジョン・スティルゴーは、その語源を遡ることでこのようなランドスケープの語感を反転させる。

2　陸と海のあいだで

スティルゴー（Stilgoe 2015）は、ランドスケープという語の展開を、北海沿岸を舞台に辿っていく。ランドスケープの語源となる語を使いはじめたのは、フリースラントに住んでいた西フリジア人たちであった。ランドスケープは、「現在のオランダ沿岸やドイツ北海沿岸で使われていた古フリジア語に由来」し、「**掘られた土地（shoveled land）**、海に投げられた土地」（同：2）を意味していた。その古フリジア語がlandschopであり、それをかたちづくるための道具である掬鍬を指す語schopは、現在もオランダ語のなかで使われている。日本でも、スコップという語は、オランダ語由来の外来語としてなじみ深い。フリースラントと同様に、国土が海に面し、多くの砂浜を有する日本では、海水浴場（あるいは公園の砂場）で、おもちゃのスコップを使いlandschopをかたちづくる子どもたちの姿を、誰しも目にすることができるだろう。

十六世紀になると、landschopは、フリジア人の船乗りによって、北海対岸の沿岸で働くイギリス人たちに伝えられる。イギリス人は、「その発音を誤解するか、誤魔化すかはしたが、少なくともしばらくのあいだは landskep ［あるいは landskap］ のなかにその意味を保持した」（同：2）。それが、やがて landskip になり、landscape となっていく。古フリジア語と古英語は、北ドイツとオランダ北東部にまたがる海岸部で使われていた古ザクセン語とともに、西ゲルマン語を構成するとされる。特に、古フリジア語と古英語の音韻的共通性は著しい（清水 2004）。なぜなら、沿岸イングランドとフリースラントとのあいだには、北海漁業を通じた濃密な文化的近接性があり、ランドスケープを取り巻くことばたちも、船乗りや沿岸部の労働者たちによって、海の周辺で織り上げられてきた。スティルゴー（Stilgoe 2015：3）は、その一つの名残を、現代英語に見出す。

> イギリス英語では、アメリカ人が**堆積**（**piles**）と呼ぶ、シャベルですくうこと（shoveling）、掘ること（scooping）、押しのけること（shoving）の結果は **skips** とされている。ペールやトラックから、砂やロームをどさっとあけることを、イングランドでは、**チップカート**（**tip cart**）から**傾けて中身をあける**（**tip**）とするが、アメリカでは、ただ**積み重ねる**（**pile**）とする。

ランドスケープをかたちづくる身ぶり[*]は、常に環境の流動との格闘である。陸地と海の狭間には、一方に、海を埋め立てるために砂を掬い、掘りあげ、投げ捨てるというヒトの身ぶりがあり、他方に、ヒトが投げ捨てた砂を陸地に向かって押し戻す波の動きがある。そのせめぎ合いのなかで、砂たちは、陸地と海のあいだを行き来する。スティルゴー（同：5）によれば、この波の側の動きも、ランドスケープを取り巻く単語のなかに内包されている。それは、十六世紀の中頃に砂州や岩礁の意味で使われるようになった英単語 shelf である。海や河川で、水の流動が砂を押し上げることによって生まれる砂州（shelf）は、schop と同根の西フリジア語の「完全に水平ではないもの、真っ直ぐではないもの」を意味する形容詞 skelf に由来する。スティルゴー（同：5）は言う。

> 砂州があること（**shelving**）は、航行に潜在的な支障をきたすが、牡蠣、ムール貝などの貝類は、そこを所有するか、そこの使用権を持つ漁師によって、時につくられ、普段は維持される砂州（shelves）に住んでいる **shelf fish**（**shellfish** は、報酬をさらいあげるという意味の語）であり、漁師がかたちづくる海の土地、唯一の天然の海底不動産である。「shelf」はオランダ語では **schap** と訳される。

砂州において海からもたらされる幸としての食用二枚貝、そしてそれを増産しようとするヒ

＊本書では、環境の流動へのリアクションとしてのヒトの動きを総称して身ぶり（gesture）と呼び、合目的な行為（action）よりも広い意味を持たせている。

図1-1　北フリースラント沿岸の砂州

トの養殖の知恵、身ぶりも、これらの単語の範疇にある。右の引用にもあるように、砂州は船乗りたちにとって命を脅かしかねないものでもある。砂州は、波や風の動きによって少しずつ流動し続けるため、そのかたちは一定ではなく、年々変化していく（図1-1）。コンクリートで護岸された現代の多くの海岸とは異なり、海岸線は常に流動しているのである。これと関連して十六世紀になると、landschop は、北海沿岸の船乗りたちから「浅瀬のなかへ突き出て歪曲した、新しくつくられた土地」（同：8）と解釈されるようになる。つまり、ランドスケープという語に内包されたせめぎ合いのウェイトが、ヒトの身ぶりから海の動きの方へシフトする。それに伴い、ランドスケープは、陸地から海へ向かって砂を投げるヒトの視点から、海に浮かぶ船の上から沿岸の陸地の形状を見極めるヒト（船乗り）の視点で見られるものへと変化した。船乗りたちにとって、「すべての砂州（landschop）は、水先案内で、特に嵐のなかで、それぞれがランドマークや避けるべき危険として役立ったときに重要」（同：9）なものである。

十五世紀までには、海図製作者や、素描を身につけた船員あるいは操舵者を擁した船が、座礁を回避するためのランドマークを記憶する手段として、海岸の立面図をスケッチしはじめる（同：9）。砂州のかたちは一定ではないため、遠洋の船舶のようにグリッド上での自分たちの位置を測定することは、逆に大きな危険となる。ゆえに、沿岸の船乗りたちにとって必要なのは、架空の鳥の視点から描かれた海岸線の平面図ではなく、甲板の上で波に揺られる彼らの視点からラフスケッチされた立面図なのである。landskip あるいは landskep という単語が、記述物のなかに現れるのも、はじめはこの意味であった。一六〇〇年頃、学識のあるイギリス人が、「水面ごしに眺めた陸地を表す絵」（同：4）として、これらの単語を記述している。

港千尋は、landschop という語が内包する沿岸でのヒトの身ぶりと環境の流動とのせめぎ合いを、二〇一一年の日本に見る。東日本大震災の直後に太平洋沿岸の被災地を歩いた彼は、そこかしこに干拓事業の完了を記念する石碑が点在していることに気づく。そして、しばしば津波の水がそこまで到達していたり、打ち寄せられた漁船がそのそばに留まっていたりする光景を目撃する。まるで、「大津波はかつての地形を『憶えていた』かのように」（港 2018：18）陸地を遡上していた。港（同：19-20）は、海辺で繰り返される環境とヒトとのせめぎ合いを、「諸行動常」ということばで説明する。

風景は、行為である。作られたすべてのモノが浮かび流されるかもしれないことを知ったうえで、ふたたび町を再開する姿もまた、「動常」を受け入れる諸行の一部であろう。風景もその一部であるほかはない。……波が山道を遡る、道路が動く、船が陸へ上がる。その土地を構成しているさまざまな「行い」と、それによって引き起こされる影響やリアクションを想像してみることを、風景は求めている。

ランドスケープが求めるのは、環境の動きのなかで、それを読み、それに対して為すべき身ぶりを導き出す居住者のイマジネーションである。ヒトの身ぶりと環境の動き（「諸行」）、は常に互いを織り込みながらランドスケープを織り上げ続ける。「動常」から目を逸らし、それらが半永久的にかたちを保ちつづけると思い込んでいる様々な調度品とともに、頑強な住居のなかでの安住を求める「内的人間」にとって、「動き成長するモノ、輝くモノ、燃えるモノ、物音を立てるモノのすべては、外部のシミュラークルやイメージのなかで再構成」（Ingold 2015：41）されるものでしかない。忘れた頃に、生きた世界の流動が、裂けるアスファルトの動き、燃える家屋の輝き、岸に衝突する津波の大音響として帰ってくる。

3　かたちづくられる土地

ティム・インゴルドは、スティルゴーのそれとは異なるランドスケープの語源説を提示する。しかしそこでもランドスケープは、環境の流動とそこで生きる居住者の身ぶりとの絡み合いとして描かれている。インゴルド（2021：302）は言う。

> ちょうど絡み合う経糸と緯糸によって布が織られているように、中世では、足や斧、鋤を使い、家畜の助けも借りながら、大地のなかに線を踏み固め掘り起こし引き掻くことで、展開し続ける織物［(texture)］を創造する人びとによって、陸［(land)］は形づくられていた［(scaped)］。

インゴルドは、ランドスケープの元となった landskap の起源を「かたちづくること（to shape)」を意味する古英語 sceppan または skyppan に求めるケネス・オルウィグ（Olwig 2008a）を引きながら、ランドスケープの織地性《テクスティリティ》に焦点を当てる。そこを踏み固めることで居住地をつくったり、そこを耕し畑にしたりする居住者の無数の身ぶりの痕跡が、土地には刻まれている。土地のかたちは、地表に据え付けられているわけではなく、土地をかたちづくる者（shaper of the land）である居住者たちによって織り上げられ続ける（インゴルド 2021：301）。その土地が廃村やゴーストタウンとならない限り、彼らの身ぶりのラインは繰り返しそのなかを行き来する。たとえ、そこで生きる居住者が途絶えたとしても、土地は常に自らを織り上げ続ける運動の最中にある。山や谷といったヒトの生活のレヴェルを超えた土地のかたちは、「地殻変動《テクトニック》から生じた」（Ingold 2015：73）地面の襞である。それを示すように、地殻変動（tectonic）という語も、肌理（texture）と同様に織ることを意味する印欧語根 teks- から派生している。

さらにインゴルド（2017：176）は、スティルゴーと同様に北海沿岸の古いことばに目を向ける。そこは、スカンジナビア南部のユトランドである。インゴルドは、ユトランドにおいて多くの小山が「Tinghøj（英語で言う thing hill）と呼ばれていたというオルウィグ（Olwig 2008b）の指摘を基に、ランドスケープの動態性を導き出す。多くのランドスケープ研究者が主張するように、ランドスケープは、居住者コミュニティによる土地の一管轄区域を示していた（たとえばシャーマ 2005：18）。そして、おおよその境界が定められたランドスケープのなかで、慣習法を共有するコミュニティの構成員が「問題解決のためにそこに集まっていた」（インゴルド 2017：176）集会場所が、Tinghøj である。ting は、現在のデンマーク語でも、モノ（thing）を意味する語として使われている。インゴルド（同：177）は、中世においてランドスケープとモノのあいだに内在していた関係を指摘する。

> ……一方で、ものは生の進行と行為の道筋を束ねて、たがいを結びつけながら風景を包み込む［(enfolds)］。他方で、ものは法の源泉として風景へと広がり［(unfolds into)］、それに導かれてひとは暮らし、居住し、土地を耕したのであった。

ジオラマとして再現された眺望は、ボード上に据え置かれた対象物の配列から構成されている。しかし、生きた世界においては、モノはランドスケープの部分ではなく、ランドスケープはモノとモノとの組み合わせからはできていない。環境の流動なかで絡み合う様々なモノの動きがランドスケープを包み込み、そのなかへと展開する。土地は常に進展し続け、居住者たちもそれに導かれることによって自らの生を織り上げ続ける。

ではなぜ、環境の流動とそこで生きるヒトの動きとのせめぎ合いから生まれたランドスケープという語が、対象から一定の距離を保った観想的でパノラマ的な眺望を想起させるものとなったのだろうか。インゴルドは、その原因が、ランドスケープの接尾辞 scape と「〜を見る機械」を意味する scope とのあいだに見出された、語源学的には無根拠な類似にあると指摘する（インゴルド 2021：301）。scape がヒトの身ぶりを示す語から生まれたのに対し、メアリー・カラザース（carruthers 1998）によれば、scope は「見ること（to look）」を意味する古典ギリシア語の動詞 skopein から派生し「射手の標的、射手がねらい打つ際に注視する印」を表す skopos が語源となっている。まさに、覗くことで視線を一方向に固定するスコープ、そしてこれらの機械とともに生まれた西洋世界の視覚性に相応しい語源である。インゴルドは、誤って結びつけられることとなるscapeとscopeは、オランダにおける絵画を取り巻く言説のなかで出会ったと推理する（インゴルド 2021：301）。オランダ特有の絵画表現が発展するのは、ちょうど望遠鏡（telescope）や顕微鏡（microscope）が発明されたネーデルラント連邦共和国の時代である。

4　描写のばら撒き

スヴェトラーナ・アルパース（1993）は、十七世紀のネーデルラント連邦共和国における、地図製作と絵画制作との緊密な関係を指摘する。両者を結びつけるのは、〈描写（description）〉という概念である。当時のネーデルラントでは、「地図制作者やその出版社は『世界を描写する者』と呼ばれ、その手になる地図や地図帳は『描写された世界』と称され」（アルパース 1993：209）ていた。画家たちも同様に「世界についての広範囲にわたる知識と情報をひとつの画面にとらえる」ことを目的として絵画を描いており、彼らにとっての絵画とは「地図のようにその上に世界の総体が配されるひとつの表層」（同）であった。

ネーデルラントの十七世紀は、まさに地図（それらは現代では地図というより風景画に分類されるだろうが）の世紀といえる。専門の地図製作者ではない一般市民ですら娯楽として地図を描いており（同：214）、出版された植民地の地図が靴屋や洋服屋の店先にまで掛けられていた（同：258）。この地図の隆盛は、当時のヨーロッパとしては非常に特殊なネーデルラント特有の土地所有制度に起因している。ネーデルラントでは「五〇％以上の土地は農民自身の所有になるもの」であり、「領主の力は弱く無きに等しかった」（同：241）。そのため、地図製作者たちは、領主が権力行使のために派遣した走狗という疑いをかけられることなく、自由に土地を見渡し、それを描写することができた。国土を自由に動き回り、あらゆる場所、そこにある様々なモノを二次平面上に配置していく地図製作者であったが、その際に彼らが頼りにしたのが、海岸の注意深い観察から海上での身の運びを習得した漁師たち、そしてモノに導かれて土地をかたちづくってきた農民たちであった。アルパース（同：239）は言う。

> 地図制作者の間では、地元の人々、漁師や農夫に知恵を借りることがごく自然に行われていた。その土地や海辺に住む人々は、その地域のことについて関心をもち、よく知っていると考えられていたのである。

この地図製作そしてそこから派生した絵画制作において、ランドスケープが名指すものが、船乗りたちが流動する波の上からランドマークを書き付けた立面図から、二次平面上に描写された鳥瞰図へと変化する。古フリジア語 landschap は、オランダ語のなかにも landschap として留まったが、この語は十七世紀のネーデルラントでは「測量士が計測したものと、芸術家が表現したものとの双方に使われていた」（同：226）。地図製作者は、ランドスケープの断片を蒐集し、それらを紙の上にばら撒いた。

　ネーデルラントの都市生活者にとっての地図は、沿岸や農地の居住者たちにとってそうであるような、自分たちを世界のなかに織り込んでいくための徴（ランドマーク）を示した世界の案内図ではなかった。彼らは地図を、見る機械（scope）の心臓であるレンズと親和性を持つものとして認識していた。地図は、顕微鏡で観察した対象物の素描と同じように、「それ以外の手段では見ることのできない何かを見ることを可能にする」（同：220）ものである。当代の地理学者たちは、世界やどこかの場所を都市生活者の眼前に見せてくれるものが地図であると考えており、「『鏡』、『目の前で』、『レンズ』といった用語は、当時地図と絵の両者にたいして等しく適応された」（同：255）。

　そして、このようなネーデルランドの地図及び絵画は「断片の集積からひとつの世界を構成していく」（同：262-263）加算的な描写を特徴とする。たとえば、十七世紀半ばにネーデルラントで制作されたブラジル地図には、入植地の様子、土地で働く人々、動植物の客観的な側面図とともに、海岸線の平面図が描き込まれている。つまり、ネーデルラントの人々にとっての地図とは、空間を越えてあらゆる観察対象を屋内に持ち運ぶ視覚の装置、蒐集物を併置する二次平面上のミュージアムとして機能していた。十七世紀ネーデルラントの描写術は、同時代に生まれた『『発見』された世界に客体としての『自然』の地位を強制し、これを記録し、分類し、配置していく」（吉見 1992：7-8）博物学と同一の眼差しを基盤としているといえる。マーティン・ジェイは、近代初期の革新を「視覚器官の有効範囲と力の拡張」と「その効果を視覚的に利用可能なしかたで流布させるための能力の向上」（ジェイ 2017：58）と特徴づけるが、まさにこの二つを可能とした装置が、観察機械（scope）と複製可能なイメージとしての地図であった。

では、このような加算的な描写のばら撒きから生まれたネーデルラント特有の絵画とは、なんであったのだろうか。地図製作を源泉とする二種類の絵画ジャンルとして、アルパース（1993：229）は「地図的風景画」と「地誌的都市景観図」をあげる。前者は、パノラマ眺望として知られるヤン・ファン・ホーイエンやフィリップ・デ・コーニンクなどの風景画である。地図的風景画の特徴についてアルパース（同：233）はいう。

> こうした風景は通常鳥瞰図と呼ばれている。それは観察者や芸術家の真の位置を示すのではなく、大地の表層が二次元平面に変形される方式を述べたものである。こうした風景は特定の場所に位置する観察者を前提としていない。

これまでの議論からも明らかなように、十七世紀における地図と絵画の境界は、現代人が思

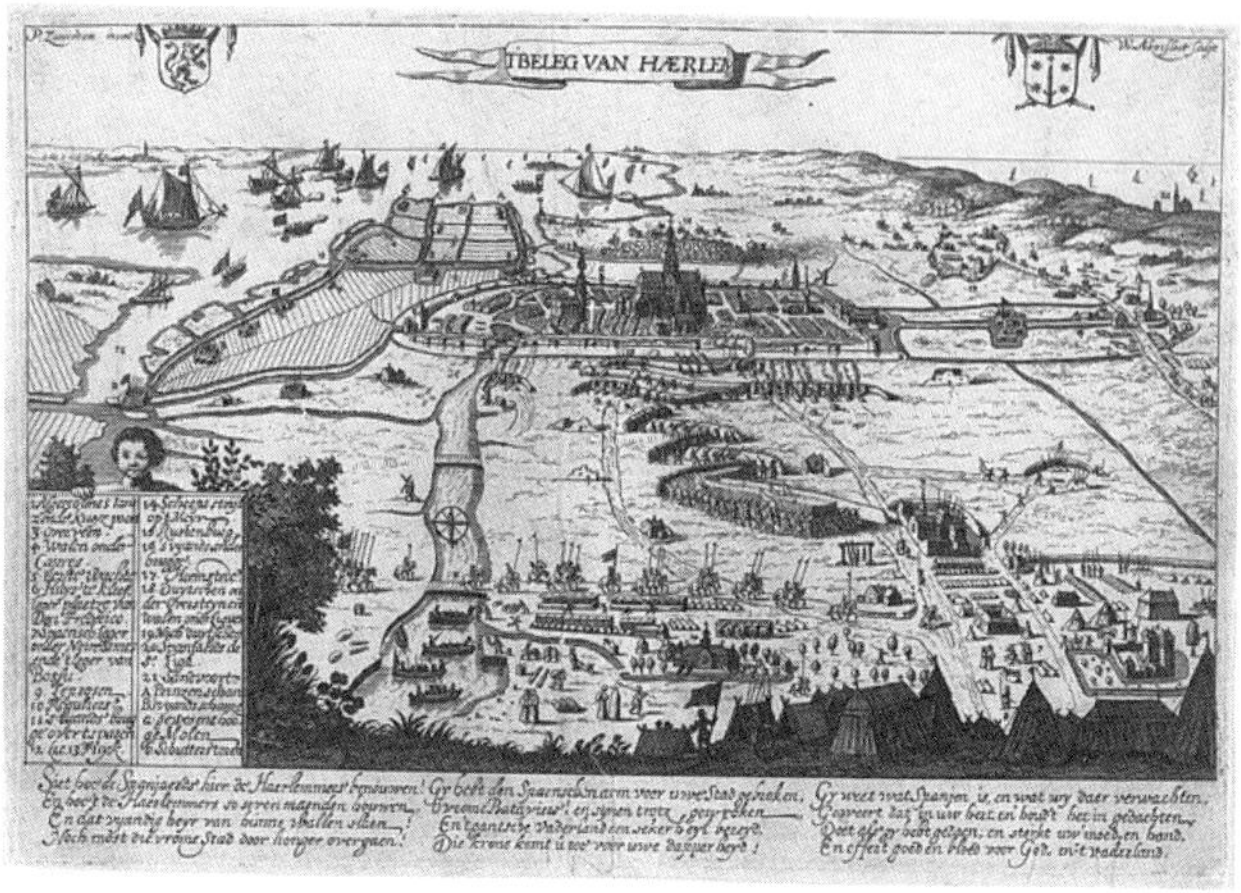

図1-2　《ハールレムの包囲》（サーンレダムの原画による）

い浮かべるほど明瞭なものではなかった。なぜなら、地図は大抵画家によって描かれており、多くの画家は測量技師のように土地に繰り出し、画家自身が最新の技術を用いて測量を行うこともまれではなかった（同：214）。画家の絵画制作の目的も、窓から望遠鏡を伸ばし屋内から遥か彼方の天体の表面を見るように、それを通して物理的に隔たった場所にある屋外の風景を室内で見ることを可能とする視覚の装置をつくることにあった。また当時の地図は完全な九〇度真上の視点から描かれていたわけではなく、地図のなかに地平線が描かれることも稀ではなかった（図1-2）。地図的風景とは、そのような地図中の地平線が画面全体に対して低い位置に移動し、空の占める割合が増したものである。

　十七世紀半ばになると、地図的風景画が、もう一つの絵画ジャンルである地誌的都市景観図へと移行しはじめる。地誌的都市景観図とは、フェルメールの《デルフトの眺望》のように、前景に平野や河川が配置され、それ越しに眺められた都市が描かれた景観図である（図1-3）。そして、そこに描かれるのは、すべて記名性を持った特定の都市である。地誌的都市景観図の特徴についてアルパース（同：246）は言う。

> 都市を讃え、土地の一部としての都市を描くことによって、オランダの芸術家たちは、ヨーロッパの都市文化の伝統的特性であった都市と田舎との間に見られる緊張関係、あるいは対立性がオランダでは決して強くはなかったことを示している。これらの絵は、地図と同様にわれわれに都市と田舎の連続性を呈示しているのである。

地誌的都市景観図とは、自らの故郷に対する市民的な誇りが生んだ、都市たちのポートレートなのである。ネーデルラントの人びとは、都市の内部で生活しながらも、都市の外側に設けられた架空の視点から自らが生活する都市を眺めることのできる装置を手に入れた。現在ではGoogleマップによって、ほぼすべての地表、そして景観の写真が見られるようになったが、ひと昔前までは、田舎で航空写真を売り歩く訪問販売業者が見られた。客は、それ以外の手段では見ることのできない自分たちの集落あるいは屋敷の写真を、記念として買うわけである。地誌的都市景観図とはまさに、このような記念写真の先取りであった。

図1-3　フェルメール《デルフトの眺望》（1661年）
カンヴァスに油彩、98.5×117.5cm
マウリッツハイス美術館

5　再反転された環境

アルパース（1993）は、イタリア絵画に対するネーデルラント、広くは北方絵画の独自性を強調する。その独自性は、まさしく地図製作に象徴される世界の描写の仕方にある。イタリア絵画の多くは、アルベルティによって理論化された消失点遠近法を基盤としており、消失点を頂点としたヒエラルキーが画面上に何らかの物語を構成している。つまり、イタリア絵画は「そこで詩人たちの表現にもとづいた厳かな行為が演じられる舞台」（同：16）であり、消失点遠近法は修辞的説得性に奉仕する。* それに対して、北方絵画は距離点法を基盤としており、特定の消失点を取らない視覚表象的描写と言える。そこには、画面のなかに上映される物語を特等席に座して見る者の、架空の視点が消し去られている。

十七世紀のイタリアで、物語が投影される舞台としての風景を描いた画家として真っ先に思い浮かぶのが、クロード・ロランである。クロードは「演劇の舞台のようであり、現実空間とは異なる理想的な世界」（新畑 2003：6）としての風景を描いた（図1-4）。このような風景画がきっかけとなり、十八世紀の遠く離れたイギリスにおいて環境とそれを眼差すヒトとの関係が変化し、ランドスケープが絵画的な眺望を表わす語となった、というのが一般的に語られる物

*元々、西洋世界における遠近法は、古代ギリシアの舞台美術に由来する。

語である。十七世紀末から十八世紀にかけて、イギリスではグランド・ツアーが流行する。グランド・ツアーとは、貴族や裕福な地主層の子息たちが教養の涵養を目的に行った大規模な大陸旅行である。この旅行は、修学旅行、通過儀礼的な意味合いが強く、彼らのチューター役として哲学者や作家が同行し（岡田 2010：i-ii）、古典で学んだ憧れの地イタリアを最終目的地とする。そこで、イギリス人富裕層の子息たちは、イタリアの建築や美術品、絵のような景色に魅せられるわけであるが、故郷への土産物として流行したのが、クロードが描いた神話や伝説の世界を思わせる理想的風景画であった（中尾真理 1999：127）。

　十七世紀のローマで活躍したクロードやニコラ・プッサン、ガスパール・デュゲらの理想的風景に魅せられたイギリス人富裕層のあいだでは、十八世紀にそのような風景を自国の国土に求める国内旅行が隆盛を極める。それを象徴するのは、一七六〇年代の湖水地方旅行の大流行である（同：128）。つまり、それは風景を発見することだけを目的とした旅行であり、イギリスの富裕層たちは自国の国土を観察されるべき「自然」として対象化していった。興味深いことに、この旅行には「クロードの鏡」と呼ばれる見る機械（scope）が携行されることもあった。「クロードの鏡」とは、裏を黒く塗った凸面鏡であり、「この鏡であたりを見ると、すぐに『クロード風の眺め』を得ることができる」（同）と謳われた代物である。ここでも風景画（scape）と見る機械（scope）は同様に、環境を固定し切り取る機能を担わされている。

　イギリスの富裕層たちは、理想的な風景を探しまわるだけでは飽き足らなかった。彼らは、

図1-4　クロード・ロラン
《踊るサテュロスとニンフのいる風景》（1646年）
カンヴァスに油彩、98×125cm
国立西洋美術館

自らが地方に所有するカントリー・ハウス付随の土地を、イタリア風景画のように改変しはじめる。その結果誕生するのが、いわゆる「風景式庭園（landscape garden）」である。風景式庭園の礎を築いた造園家がウィリアム・ケントであるが、興味深いことに彼は、第三代バーリントン伯爵リチャード・ボイルがグランド・ツアーの旅中で知り合い、イタリアから連れ帰った修行中の画家であった（同：124）。ケントは、庭師の経験も植物についての知識も皆無であり、庭を土や植物と格闘する生きた場ではなく、ただ風景画のように眺められる空間として扱った。このような庭には、「古代の神殿やパラッディオ風の石の橋、おびただしい数のモニュメント」が「風景のポイントとなるところに配置」（同：125）されており、庭を訪れた客人は、イタリア風景画風の景色が再現された随所々々の見所を、決められた順路に従って見て歩く（同：141）。ゆえに風景式庭園とは、グランド・ツアーの名所巡りを疑似体験するための装置と言っても過言ではない。グランド・ツアーへ出掛けたり、風景式庭園を散策したりする富裕層の行為は、土地を辿りそこに痕跡を刻み続ける環境の居住者たちの身ぶりとは真逆の性質を持つ。インゴルド（2014：130）は言う。

> ……ツーリストは、自分が見物する対象の評価に偏見や悪影響をおよぼさぬように、そこに到着するまでの経験を……記憶から抹消せよと忠告されているかのようだ。輸送が実施されるとき、事実上あらゆる踏み跡は言わば点線へと変換される。……ツーリストはその

> 旅程のすべての目的地で乗り物を降り、自分が立っている場所のまわりをうろつき、次の場所へと出発する。連続する目的地を結ぶラインは、……運動の痕跡ではなく点と点をつなぐ連結器である。

ツーリストが描くラインは、土地に沿うことなく、土地を個々の眺め（観察対象）に分断しつつ再連結する無意味な連結器（connectors）でしかない。

ケント没後の十八世紀半ば、次世代の庭師ランスロット・ブラウンは、イタリア風景画の理想的風景ではなく「ゆるやかに起伏する土地、ゆったりと蛇行する川、建物の窓のすぐ下から川の縁まで広がっている芝生、点在する立木」（中尾 1999：129）といったイギリス国内に発見された「自然」を、風景式庭園のモデルとするようになる。しかし、やはりそこでモデルとされたのは、ブラウン自身が生まれ育った北イングランド寒村の環境ではなく、彼にとっての憧れとしてのイングランド南西部の「自然」であった。この時代になると、カントリー・ハウスからのすべての眺めを理想的風景に改変することが目指され、風景式庭園の規模は領主の所有する敷地全体にまで拡張される。それにより、川はせき止められて人工の湖となり、風景にそぐわないと判断された農家は取り壊された（同：131）。庭師たちは、彼らの頭のなかにある「自然」を現実の土地に投影するため、その土地で生きる農民たちと環境との関わりを根こそぎ断ち切ったのである。

現実世界を模してつくられた眺めが、逆に現実世界を改変するための模範となるような現象を、インゴルド（Ingold 2015：75）は「二重反転（double inversion）」と呼ぶ。彼は、このことばが意味するものを、十七世紀イギリスの演劇を例に説明する。この時代に演劇は、屋外の円形劇場ではなく、屋内に再現された擬似世界としての舞台の上で演じられるようになる。それに伴い、環境の流動がもたらす気象学的な現象は、小道具や花火によってシミュレートされなければならないものとなった（同：74）。舞台上に構築されたパースペクティブは、風景画の額縁のように、プロセニアム・アーチという舞台の額縁によって縁どられる（図1-5）。つまり、円形劇場においてその場を取り巻いていた屋外の環境は、シミュレーションされた「自然」として建物の内部に反転される。このような新しい劇場を設計しはじめたのがイタリア帰りの建築家イニゴー・ジョーンズであったが、彼は舞台上の見せかけの風景をモデルに、現実世界の建築デザインや都市計画の改変を行なった（同：75）。これが、劇場建築における「二重反転」である。インゴルド（Ingold 同）は言う。

> ……二重反転は、世界を以前の状態には復元しなかった。舞台と背景が外に出されたとき、舞台は舞台だったし、背景は背景だった。この舞台の上で、この背景の前で、都市生活者たちは、役者のように、彼らの役柄を演じることを期待されていた。

図1-5　パレ・カルディナル劇場のプロセニアム・アーチ
（1641年、ステファノ・デラ・ベラの版画より）

二重反転によってヒトは、土地のなかで生きる居住者ではなく、反転された外的世界の上に据え置かれる「余所者（exhabitants）」（インゴルド 2021：236）となる。

ここまで、イタリアの理想的風景画をきっかけとした、イギリスにおける「自然」の発見の物語を辿ってきた。しかし、この物語は事実の一部であっても、西洋世界における新たな視覚性の発展という全体像に照らせばことを矮小化しかねないものである、というのがウィリアムズ（1985：168）の指摘である。つまり、ネーデルラントにおける風景画の発展が、「視覚器官の有効範囲と力の拡張」と「その効果を視覚的に利用可能なしかたで流布させるための能力の向上」という近代初期の革新の一つの表れであったように、イギリスで起こった視覚性の転換も、絵画や造園という個別の分野に限定される話ではない。ウィリアムズ（同）は、イギリス人の風景観が実はオランダからの直輸入であったことを指摘する。イギリス人にとっての最初の偉大な風景画とは、なによりアルパース（1994：238）が地図的風景画から地誌的都市景観図の移行期の作家と位置付けたロイスダールの風景画であった。そしてこの風景観は、「ブルジョア的な改良、自然研究、知覚のありかたに関する科学的研究などと密接な関係」（ウィリアムズ 1985：168）を持つ、一つの視覚性の転換のなかに位置付けられるものでなければならない。

第2章　古典主義時代の視覚性

1　眼差す眼

アルパースはイタリア絵画と北方絵画の差異を強調してきたわけであるが、新たな物語に従って再構成することも、脱物語化したままタブロー（配列）にすることも、世界を無意味な対象として扱うことに変わりはない。ジェイ（2000）は、クリスチャン・メッツ（1981）が映画論で用いた「視の制度（scopic regime）」という用語を借用し、西洋世界の視覚性を分析する。そのうえで、アルパースの二分法に従ったイタリアの「デカルト的遠近法主義」と北方の「ベーコン流描写術」という二つの「視の制度」が、西洋世界において、科学的世界観への転換を促進するための両輪を担っていたことを指摘する（ジェイ 2000：34）。

デカルト哲学とベーコン哲学がそれぞれ別の流儀において、ともに科学的世界観と一致しているように、この二つの視の制度も、一つの複雑な現象の異なる二つの側面をあらわにしているとも言えるのである。

世界を「理解可能なテクスト（「自然という書物」）として読むこと」から「観察可能だが無意味な対象として見ること」への転換によって、近代科学にとって極めて重要な「世界像の機械化（mechanization of the world picture）」が成し遂げられる（ジェイ 2017：47）。それまでの世界は、船乗りや農民たちにとってのランドスケープのように、意味に満ちており、ヒトに読まれる徴《しるし》をそのなかに織り込んでいた。船乗りたちは、砂州の形状を読むことなしに、船を安全に陸に接近させることはできない。また、農民たちは、大地の肌理を読むことなしに、そこを耕し、そこから作物を収穫することはできない。ランドスケープは、読まれるもの《テクスト》としての環境であった。しかし、十七世紀半ばに現れた新たな観察者たちにとって、世界は無意味な対象が並列されたフラットな空間となった。この画期的な世界観の変容には、「デカルト的遠近法主義」という「視の制度」が大きな役割を果たしている。遠近法は、絵画的秩序と科学的秩序の双方に対して同一の機能を担うものとなる。ルネサンスには、物語の舞台を構成するために用いられた遠近法が、徐々に抽象的な空間の形成に奉仕するようになっていく。ジェイ（同：48）は、遠近法による世界の脱物語化、対象化について説明する。

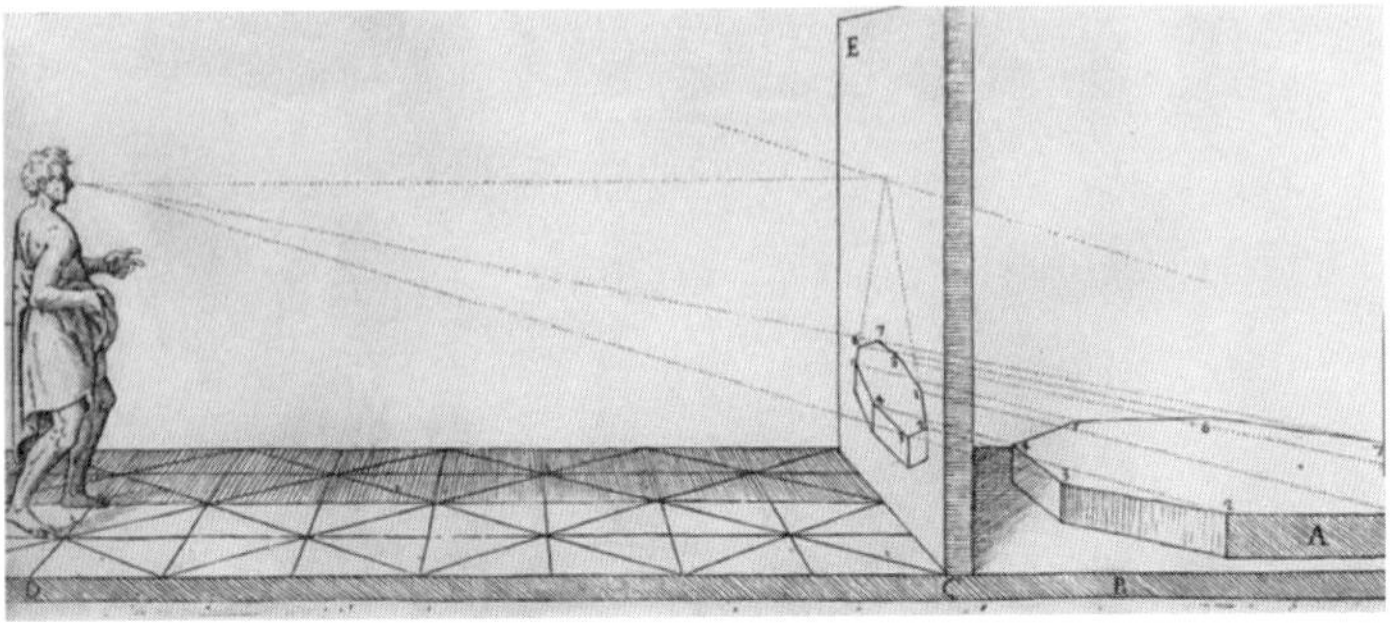

図2-1　アルベルティの遠近法（ヴィニョーラ『実践的遠近法の二つの規則』より）

空間はその実質的な意味を奪われ、抽象的な線形座標で表現できる、整然とした均質な体系になった。したがって、遠近法は、時間をかけて展開していく物語のための舞台ではなく、客観的なプロセスが入れられる不変の容器だった。

中世において世界は、そのなかを動き回る居住者の複数の視点から読まれ、描かれていた。しかし、身ぶりのなかで移動する複数の視点は、「ひとつの卓越した眼」（同：49）つまり、消失点として想定される無限小の抽象的な点に置き換えられる。西洋の科学的世界観においては、「すばやく動いて瞥見する眼［＝身体の眼］よりもまばたきせずに凝視する［＝眼差す（gaze）］眼のほうが正しい」（同：73）とされるようになる。眼差す眼は、遠近法から生み出され、近代科学の発展の基盤となる、脱身体化というよりも脱身ぶり化された眼といえる（図2-1）。興味深いことに、「デカルト的遠近法主義」という「視の制度」と、それによって対象化される対象（object）という語の語源には、深いつながりが見出される。

object の接頭辞 ob は、「〜に対して」というように対置（opposition）を立てる役割を果たし、眼差す眼が可能とする公平な観察（ob-servation）もその出処を同じくする（セール 2016：112）。さらに object という語は、元々「投げ出す」という意味のラテン語の動詞 jacere に前置詞 ob が付いた ob-jacere（前に投げ出す）* の過去分詞形であり、「当初は視界、ある観点とそれゆえ結びついた、パースペクティブ的な眺めのようなもの」（同：113）を表していた。

そして、「デカルト的遠近法主義」と「ベーコン流描写術」が切り離せないのは、十七世紀半ば以降の〈視ること〉と〈分類すること〉が、同一の「視の制度」の二つの側面であるからである。ジェイ（同：57）は言う。

> 近代科学はそのようなもの［＝能動的で介入主義的な企て］として、近代初頭の大規模な探検事業、つまり未知の大陸への航海とおおよそ軌を一にしていた。そしてこの航海自体、視覚的にかき立てられた好奇心によっておおいに刺激されたものであった。

＊逆に object（対象）の対義語である subject（主体）は、jacere に「下に」を意味する前置詞 sub が付いた su-bjacere（下に投げ出す）の過去分詞形がもとになっており、下に投げ出されているものを意味する。

ネーデルラント市民たちが、東インドやブラジルの動植物や人々が描かれた地図を渇望したように、十七世紀の西洋人たちは、世界中のあらゆるモノを蒐集した。しかし、ミシェル・フーコー（1974：154）が指摘するように、たとえば異国の動植物は、ずっと以前から西洋人たちの関心をそそっており、それらへの好奇心は何もこの時代に特有のものではない。では、十七世紀半ばの西洋世界において、モノを観察し、蒐集することにどのような変化があったのだろうか。

2　博物学（＝自然誌）の誕生

十七世紀半ばの西洋世界における観察すること、蒐集することの変化を特徴付けるのは、自然の記述としての博物学（＝自然誌）の誕生である。博物学は、中世・ルネサンスと古典主義時代のあいだで起こった、エピステーメー*の転換を特徴づける学問の一つである。博物学は、文字通り「〈記述《イストワール》〉がもっぱら〈自然を対象とする《ナチュレル》〉ものになること」（同：151）によって誕生する。それ以前の中世・ルネサンスのエピステーメーにおいて、モノは、〈適合 convenien-

＊エピステーメーとは、ギリシア語で科学的認識を意味する語であるが、フーコーは、ある時代におけるモノの認識を規定する知の枠組みを表すための用語としてこれを用いている。

tia〉〈拮抗 aemulatio〉〈類比 analogia〉〈共感 simpatia〉などの類似（resemblance）によって理解されていた。世界のなかで、モノは類似関係によって織りなされ、そこからヒトは徴としての記号（signe）を読み取る。ゆえに記述とは、あるモノについて観察できる（と後の時代に言われるようになる）ことと、そのモノから読み取れる記号とが、完全に同一の次元で織り合わさった織物であった。たとえば「ある生物の記述《イストワール》とは、それと世界とのあいだに張りめぐらされた意味論的網目全体の内部における、その生物の姿をそのまま描きだすこと」（同：152）であり、要素や器官という客観的に観察できることの記述と、他のモノとの類似関係、美質、それが登場する伝説や物語、それについて古代人が語ったこと、それから得られる薬品や食物などの記述は、同質のものであった。しかし、古典主義時代のエピステーメーにおいて、知の基準は、類似関係から、推論における同一性と差異へと転換する。ここで、ある生物の記述から、観察できることについての記述だけが抽出され、その他の記述は排除されることとなる。たとえば、フランシス・ベーコン（1978）は、他のモノとの類似関係などのその他の記述を、誤謬の原因となるイドラ（幻像）として退けることで、客観的な観察結果を導くことができると主張した。フーコー（同：153）は言う。

> つまり博物学《イストワール・ナチュレル》とは、《言う》ことができるであろうものを《見る》可能性、しかも、物と語とがたがいに区別されながらも表象のなかではじめから通じあっていなければ、見

たうえで言うことも、それどころか遠くから見ることもできないであろうものを、《見る》可能性なのだ。

ことばは、世界の内に埋もれており、記述者に語りなおされるのを待つものから、観察者の内部で表象空間を構成するものとなる。モノとことばの織物はバラバラに裁断され、モノは視られ分析されることによってはじめて、表象のなかでそれが持つべき名前としてのことばを与えられる。そして、観察者の外部には、同一性と差異によって個々のモノが位置づけられた、対象としての「自然」が誕生する。十七世紀半ばに、記述（イストワール）という行為は、「物それ自体にはじめて細心な注視をそそぎ、ついで視線が採集した物を、滑らかな、中性化された、忠実な語で書き写す」（同：154）という意味を持つようになった。フーコー（同：154）は言う。

この新たな記述《イストワール》のための資料は……物と物とが並置された透明な空間である。この記述《イストワール》のおこなわれる場所は、非時間的なひとつの長方形であって、そこでは、いっさいの註釈や付属的言語《ランガージュ》から解放された諸存在が、その可視的な表面をこちらに向けて一列にならび、その共通の特質にしたがって比較され、そのことによってすでに潜在的に分析され、もつべき唯一の名を提示しているのだ。

先にも述べたように、異国の動植物の蒐集は、なにも古典主義時代に始まったことではない。しかし、ルネサンスにおいては、たとえば異国の動物は見世物であった。ルネサンスの遠近法を先取りしたと語られるペトラルカが、山頂から眺める連峰に、アトスやオリュンポスといったギリシアの聖地、ハンニバルのアルプス越えを見ていたように、ルネサンス以前の西洋人たちは、「無時間的なお伽話を展開する復元された伝説的過去のなかで」（同：154）、珍奇な異国の動物たちを見ていた。博物学という新たな記述が、「見世物」の行列を、非時間的な長方形「タブロー」のかたちをした展示様式に置き換えたのである。

十七世紀半ばの西洋世界におけるエピステーメーの転換は、モノの客観的な観察を可能にする新たな視覚性の誕生によって引き起こされた。そして、新たな視覚性の展開を推し進めたのは、それを補強する装置である観察機械（scope）と、複製可能で可搬性を備えた地図や風景画であった。それと時を同じくして、環境のなかに存在する様々なモノを自然物として客観的に観察し分類する新たな記述「自然誌」が生まれることになる。これが、「自然」を対象にした学問の始まりであり、このの ち西洋世界を席巻することとなる自然主義の萌芽である。

3　居住と占拠

博物学のタブローは、すべてのモノを、同一性と差異の体系のなかに位置づける。タブロー内のモノは、他のモノとの差異によって、配置される位置が予め定められている。そして、はじめは、土地の衣装を着た人々、動植物の側面図、上方からの海岸線など、様々な質の描写が混在していた地図も、徐々に一つの体系のなかでモノが他のモノとの差異によって分布させられる空間へと変質する。これにより、元々は切り離せない関係にあった地図と絵画が、一方は定量的な記述、他方は美的表象へと、別々のものとして分離していく。「地図が絵図の空間を植民地化してゆき、その地図をうみだした実践の絵画的形象化を凌駕してゆく」（セルトー1987：249）。ランドスケープということばが生まれた北海沿岸で、船乗りたちがランドマークを描いたラフスケッチのような地図を、ミシェル・ド・セルトーは「順路（parkour）型」と呼ぶ。そして、場所を辿る順路を語る「日常文化の空間物語」に対し、測量によりつくられた地図のような、「地理的場所のシステムの記述」は、「知の生産物を展示するための固有《プロープル》の場にしつらえられていて、読みうる結果のならんだ表［＝タブロー］を形づくっている」（同：250）。ここでは、まさしく博物学の展示空間と、地理的場所のシステムとして記述された地図の親和性が指摘されている。ミュージアム（動物園や植物園を含む）と同様に、地理的場所のシステムとして記述された地図は、対象物が体系的に並置されたタブローである。

セルトーの言う「順路」と「地理的場所のシステム」の相違を、インゴルド（2014）は、「略図（sketch map）」／「刊行地図（cartographic map）」の二分法をもって説明する。同じラインということばで語られるものでありながら、略図のなかに描かれたラインと、刊行地図のなかに引かれたラインは、完全に対立するものとして存在している。略図のなかに描かれたラインについて、インゴルド（同：136-137）は言う。

> ……略図上のラインは、以前に何度もそこを往復した経歴によってすでに熟知した場所から場所への、実際に行われた旅を「手の」身ぶりによって再現したものである。それらのラインの継ぎ目、分岐、合流点はあなたがどこに行きたいのかに応じて、どの道を辿ればいいのか、どれが間違った道なのかを示している。それらは運動するラインである。そのラインの「歩行」はその土地を通ってゆくあなた自身の「歩行」の軌跡を辿るものだ。

略図においては、そのなかに描かれたラインは、世界のなかを動き回るヒトの身ぶりの軌跡を表している。中世の西洋世界をモデルとした、架空の小国ケルウォースを舞台とする坂田靖子の漫画『ベルデアボリカ』のなかで、ケルウォースの領主ツヴァスと、ひょんなことから彼と生活を共にすることになった魔法使いヴァルカナルが会話をしている。また、ケルウォースが国力をもっていた頃に描かれたという地図を見て、ヴァルカナルが言う（坂田 2012：86）。

ふん…
たいそうな地図を描いたものだ
この地図の中は歩く事も飛ぶ事もできますよ　ツヴァス
風の流れまで読むことができる…
位置や方位を表すというより世界そのものを切りとってこの中に再現してある

ヴァルカナルのことばは、この地図の略図的特徴をよく示している。二人が見ている地図は、コマのなかには描かれていないが、体系のなかであるモノが占有する位置や方位が表現されたものではないようである。そこに描かれているのは、おそらく、この地図に描かれた土地を歩きまわることで、地殻変動の痕跡である大地の襞としての丘や谷、流体としての水の痕跡である河川や扇状地のライン沿いに縫い込まれた、地図製作者の歩行の軌跡である。対象物が配列されたタブローのなかを歩くことはできないが、歩行の軌跡に沿った略図のなかは、その経歴の範囲内で自由に歩き回ることができる。このお伽話のなかの地図には、風の流れの軌跡まで描かれているため、そのなかを魔法使いが竜に乗って飛び回ることもできるだろう。

　インゴルド（2014：137）は、略図のラインが、動きに沿った（along）身ぶりの軌跡（trace of a gesture）であるのに対し、刊行地図のラインは、地点から地点を横断する（across）ラインであると指摘する。

> ……［刊行地図には］常に、地図が表示を引き受ける内側の空間を、地図が関与しない外側の空間から区別する境界線が引かれている。地図上にはたくさんのラインがあり、道路や鉄道や行政区分などが表示されている。刊行地図の表面を横断して引かれているそれらのラインは、占拠を意味するのであって居住を意味するものではない。それらのラインは、空間を収奪するものとして、それらが連結する地点や――もしそれが国境であるならば――それらが囲い込む地点を包囲することを示している。

刊行地図の横断するラインは、地点と地点をつなぐ連結器（point-to-point connectors）である。それは、描かれる土地の流動や、居住者の身ぶりのラインにお構いなしに、モノや区画のアウトラインを形成し、世界の動きを寸断する。インゴルド（同：144）によれば、略図と刊行地図は、相反する知のシステムを構成する。前者は、「世界を貫く運動の道」という方法をとる「居住（habitation）」システムであり、後者は、「運動のメカニズムと知の編成」「位置の移動と認知」という方法をとる「占拠（occupation）」システムである。もちろん、北海沿岸や農地の居住者たちに必要なのは、前者である。先に説明したように、もし船乗りたちが、後者を選択したなら、彼らの船は砂州に乗り上げ座礁してしまうだろう。そして、セルトー

（1987）によれば、都市生活者であるニューヨーカーのほとんども、場所を口にするときの叙述は順路型をとっている。ストリートとアベニューが碁盤の目をなし、摩天楼が聳え立つ大都市であっても、そこは、錯綜するヒトの動きによって織り上げられたランドスケープであるといえる。

　大都市であり、しかも、スコップで海に向かって土を投げる身ぶりによって干拓され続けてきた土地、東京について、漫画家の杉浦日向子（2000：98-102）は言う。

見渡す限りの葦の原。
耕作に適さない辺境の地。

この原野の上に今現在展開されている
〈東京〉という現象は
人々の想念のカタマリだ。
人々もまたこの地の〈意〉に
よって吹き寄せられた
〈動く土〉で、家並みやビル群は
生い茂る〈葦〉だ。

原野が私達に
夢を見つづけさせる。

踏みしめる
アスファルトの下の
〈原野〉を想う時
嬉しくて懐かしくて
身ぶるいがする。

そしてこれは
生まれてからずっと
感じたかったことの
ような気がする。

私達はこの地と交感し合っている。
いつか……宇宙で子供が生まれる時、

その子等は真空の〈気〉と交感し合い
私たちが原野に夢を見るように
果てしない暗黒空間に夢を見るのだろう。

日本橋に生まれた東京の居住者である杉浦にとって、東京は、〈脱場所化〉された都市空間ではない。摩天楼も、抽象的な地面の上に積み上げられた、ビルディング・ブロックというよりは、大地と大気の混淆のなかに生い茂る植物のように感じられる。そして、大気の流動である風が、大地を浸食し、土を他の場所へさらったり、他の場所から運んだりするように、ヒトも、〈意〉を持つ東京の動きの只中に在る。風で吹き寄せられ、寄り集まった松葉が、束の間の毬を形成するように、〈動く土〉としてのヒトは、ランドスケープのなかで絡まり合う。

4　ことばの織物

フーコー（1974：43）が指摘するように、十七世紀以前の西洋世界では、自然それ自体が、言語（ランガージュ）とモノとが際限なく交錯し合う織物であった。このことが、非西洋世界の中国や日本にも当てはまることを、柄谷（2008）は、絵画制作を例に説明する。「山水画家が松を描くとき、いわば松という概念を描くのであり、それは一定の視点と時空間で見られた松林ではない」（柄谷 2008：21）。西洋的な遠近法を基盤とした絵画技法が美術界の権威となるまでは、日本においても、松というモノと松という概念（ことば）は、区別できるものではなかった。ことばは、世界から切り取られた対象を表象するのではなく、モノゴトとともに世界のなかに織り込まれていた。つまり、東洋、そして十七世紀以前の西洋世界において、名指すことは、名指されるモノを差異の体系のなかに投げ入れることで、それに対象としての輪郭を与え固定することではなく、類似関係の無限の連鎖のなかに既に織り込まれている徴を読み取り、目印とすることであった。あるランドスケープの居住者たちは、その周囲の世界が自分たちに指し示す徴、そしてそれを読み取った自分たちの知覚の経路を印づけた多様な語彙を持っている。たとえば、日本の沿岸部に、「行為としてのランドスケープ」の片鱗を見出そうとする港（2018）は、沿岸部の居住者たちの、磯やサンゴ礁についての語彙の多様さを指摘する。たとえば、田辺悟（2014）によれば、福島県いわき市の勿来地域では、腰かけ磯にはアワビ、ワカメ、亀磯にはスズキやタイ、笠磯にはノリ、ウニといったように、その場がどのような海産物をもたらすかによって、また、小名浜地域では、アワシマ磯、イゴロ磯、ヤマダシ磯といった実際の位置関係によって、それぞれの磯に固有の名前が付いている。また、渡久地健（2017）によれば、沖縄県南城市の志喜屋では、浅い礁湖が、微妙に変化する地形の特徴によって、ヒシ、スニ、チブル、チブラー、クムイ、チブ、ンズ、ワチ、ヒレ、グフなど多様な名で呼び分けられている。旅行者からすれば「きれいな海」にしか見えない場所が、居住者たちにとっては、そこに読み取られた徴と、先人たちがそこに名付けた名前とによって織り上げられたランドスケープとなっている。ランドスケープは、そのなかを歩き回り、そこから生きるために食料を獲り、時にはそこで命の危険に晒される居住者たちの無数の動きの軌跡によって織り上げられた、歴史=記述（histoire）である。

　特定のランドスケープの居住者たちが、彼らのランドスケープを構成するモノゴトに対して豊富な語彙を持っていることは、日本以外の非西洋世界でも確認できる。たとえば、カナダ北部の氷雪地帯に住むイヌイットの人びとは、彼らのランドスケープの多くを構成する「雪」を、二〇種以上の語彙で呼び分ける。降雪を示すカニック、溶かして水にする雪を示すアニウ、切りだした雪塊を示すアウヴェックなど、それらがどのような状況にあるか、彼らにたいして何を為すかによって異なる名前が付いており、雪一般を示す単語は存在しない（宮岡 1987：157）。また、パプアニューギニアの熱帯雨林に住む、カルリの人びとは、鳥を、ギザロ（歌の形式のひとつ）をうたう鳥、鳴く鳥、口笛を吹く鳥、ホザビ語を話す鳥、自分の名を言う鳥、「ただ音を出す」だけの鳥、騒音を出す鳥に呼び分ける（フェルド 1988：51）。それらは、差異の体系に基きタブロー上に並置することによってなされる分類ではない。音響的属性に基づく鳥の名は、目に見える世界、目に見えない世界、鳥の世界、人間社会が重層的に織り成す生態系の経路のなかに縫い込まれている。スティーブン・フェルド（同：169）によれば、カルリの人びとは、想念の世界をかけめぐってクライマックスをつくりあげるための道筋であるトク（tok

小道）に沿って歌う。トクは、歌詞のなかに現れる実際の地名の連続によってかたちづくられる地図である。つまり、実際のある土地を名指す地名は、歌や語りのなかで、目に見えない世界を辿る動きの軌跡として記憶されている。

第3章　知覚のエコロジー

1　歩行視

世界を「抽象的な線形座標で表現できる、整然とした均質な体系」（ジェイ 2017：48）としての空間と捉える科学的世界観、またそれに起因する知覚モデルであるいわゆる「知覚因果説」を批判し、世界のなかを動き回る知覚者の身体の眼を基盤とする新たな知覚理論を構築したのが、ジェームズ・J・ギブソンである。ギブソンは、彼の視覚研究において、科学的世界観を生み出した「眼差す眼」を断片視（snapshot vision）として批判し、歩行視*（ambulatory

*『生態学的視覚論』（古崎他訳）では「移動視」と訳されているが、本書では歩行によって地面を辿ることで、土地を辿る自身の身体を感じるという環境の知覚と自己の知覚の相補性を強調するため、「歩行視」という訳語をあてている。

vison）を可能とする世界と知覚者との関係についてのエコロジカルなモデルを探究した（ギブソン 1985：2）。

ギブソンが想定するのは、「知覚し、行動する生活体、すなわち動物の周囲の世界」としての「環境（environment）」（ギブソン 1985：7）である。この環境は、そのなかを動き回りながら、それを知覚し続けるある知覚者と相互依存的なものであり、ある特定のコミュニティが形成されている環境と、そのコミュニティの構成員たちもまた相互依存的である。ゆえに、ある土地の居住者たちは、その土地に根ざした行動様式を持つことになる。そして、眼差すことよって捉えられる世界の構成が、特定の単位に基づき測定され分析され得るのに対し、環境の構成単位は入れ子（nesting）になっている（同：9）。たとえば、高い山の頂きから周囲の山並みを見渡すと、隆起した山の一つひとつが構成単位として見える。しかし、いざその山の一つに分け入れば、周囲に生い茂る木々の一本々々が構成単位として見えてくる。さらに、一本の木に対峙すれば、幹から伸びる枝ぶりの一つひとつが見え、その枝に顔を近づければ、葉の一枚々々が姿を現す。葉の表面を見ると、葉脈の網目が観察できる。葉脈同士のあいだには、さらに細かな肌理が確認できるだろう。ギブソン（同：9-10）は言う。

> 地球の環境ではそれによって決定的に分析し得るような、特殊な固有単位は存在しない。……その代わり、下位単位、上位単位はある。環境を記述するために選ばれる単位は、記

述しようとする環境の水準に依存する。

知覚者を取り巻く環境は固有のレイアウトを持っているが、そのレイアウトは、ある点では変化し、ある点では相対的な持続性（persistence）を持つという意味において不変である（同：13）。たとえば、一本の老木を考えよう。その老木に集う昆虫や鳥、齧歯類など小動物たちのレイアウトは、目まぐるしく変化するだろう。樹皮上を這う粘菌のレイアウトはそれよりも遅く推移し、樹皮に貼り付いた地衣類のレイアウトはさらに遅い変化である。成長しきった樹皮の割れ目の肌理はほとんど変化しないが、たまに外的要因によって剥がれ落ちたりする。これらとは相対的に、老木の幹のレイアウトは持続性を持つ不変項（invariant）であるといえる。しかし、幹も落雷に打たれたり、台風で根こそぎ倒されたりする可能性があるため、永続的に不変なわけではない。

2　環境の三要素と肌理

ギブソンの言う環境は、媒質（medium）、物質（substance）、そして両者を分かつ表面（surface）の三つの要素で記述される。媒質とは、陸生生物にとっての空気、水生生物にとっての水である。媒質の重要な特質の一つは、動物に呼吸を可能にさせることである。陸生生物は、空気を吸い吐き出すことで酸素を吸収する。つまり、媒質がなければ、動物は生存することができない。また、陸上の環境における地面、水中の環境における海底や湖底に据え付けられていない動物は、媒質のなかを自由に動き回ることができる。そして、媒質は、光を反射し、振動し、揮発物がそのなかを拡散するため、動物に見ること、聞くこと、嗅ぐことを可能にさせる。こうした媒質のなかの情報に導かれることで、動物は、自身の移動行動を制御することができる（同：18）。あるヒトが暗闇で出口を探しているとき、媒質のなかを反射する光が見えれば、その方向へ向かって歩いて行くことができる。あるヒトが狩猟をしているとき、獲物の鳴き声が聞こえれば、その獲物のいる方向を特定することができる。あるヒトが火災現場で寝ているとき、燃焼物の臭いを嗅いだなら、飛び起きてその場から避難することができる。媒質は多くの場合、何らかの光、音、匂いで満たされており、それを知覚する動物、ヒトの知覚者の観察は、彼らが生きている限り、絶え間なく続いていく。つまり、媒質によって満たされた場は、そのあらゆる場所が、知覚者の観察点となり得る。媒質のなかの観察点は、潜在的に「起こり得る移動の軌跡によって相互に連続的に結ばれている」（同：18）。知覚者は媒質のなかを移動することで、移動のラインをそこに描いていく。そのラインの道筋は、次々に変化する媒質の情報に導かれ、その軌跡は、知覚者の情報獲得の軌跡を示す。これらの観察点は、（可能性として点在しているとはいえるだろうが）決して移動のラインに先行するものではない。インゴルド（2014：122）の表現を借りるならば、知覚者が媒質のなかに描くラインは「身ぶりの軌跡」であり、「点と点を繋ぐ連結器」ではない。観察点は、「身ぶりの軌跡」を事後的に分析した結果、示されるものに過ぎない。しかし、ギブソンの生態学的知覚論では、この観察点という概念が重要な位置を占める。なぜなら、この先で見ていくように、ギブソンにとって光とは、ある観察点に位置する知覚者を様々な方向から包囲するものだからである。

次に物質とは、そこを移動することができず、そのなかを光や揮発物が通り抜けない（透明な鉱物やガラスなど例外はあるが）環境の一部である。それらは、たいてい「混合物（mixture）」（ギブソン 1985：20）であり、純粋な科学物質として存在しているものはほとんどない。物質は「相互に重なりあった構成単位が階層をなして構造化されて」おり、「これらの異なる構成単位は動物の行動……に対し、全く異なった可能性を持っている」（同：23）。たとえば、ある植物はヒトにとって、道具や繊維に加工でき、食料にもなり、染料としても使える。

最後に表面とは、媒質と物質を分離するものである。そのなかでも、地上の環境の基盤（basis）となるのが地面である（同：10）。地面は、空気と大地の界面であり、陸生生物にとっては、知覚や行動の基盤となると同時に、それらの支持面となっている。ヒトにとって、多くの場合、環境のなかを動き回り、あらゆる情報を探索するためには、その上を歩き回る地面が不可欠である。ギブソンは、九つの表面の生態学的法則の一つとして、あらゆる表面が、「物質の構成要素（composition）に依存して、特有の肌理をもつ」（同：25）ことを指摘する。ギブソンは、『生態学的視覚論』のなかで、さまざまな表面が持つ肌理を示すために、芸術家やデザイナーの素材帳的な写真集である、フィル・ブローダッツの *Textures* と *Wood and Woodgrains* の二冊から、木の小口、雲、芝生、手織りのウールの生地、水面、海辺の砂利を撮った六枚の写真を引用している。これらの表面は、どれもありふれているが、それぞれ複雑な肌理やざらつき（grain）を持っている。ギブソン（同：27）は言う。

> 肌理の構成単位は一般に大きさの異なる水準で入れ子の状態になっているので、……測定することは多くの場合非常に難しいことである。……肌理の構成単位はそれぞれ形状が異なり、ある形状の中にまた別の形状があるので肌理の形状は測定され得ない。

木の小口の写真を見れば、乾燥によって生じた亀裂の肌理があり、それと重複して年輪の肌理がある。さらに目を凝らせば繊維の肌理が見える。水面の写真は、比較的大きな波頭のあいだに煌めく細波が入れ子になっている。なぜこれらの肌理が視覚にとって重要なのかと言えば、これらの肌理に散乱反射して知覚者を取り囲む光が視覚を可能にしている、というのがギブソンの主張だからである。このような、光を扱う学問としてギブソン（同：51）は、生態光学(ecological optics) を提唱した。生態光学は、光源から放射する光ではなく、肌理を持つ地面やなんらかの物質の表面にぶつかって媒質のなかを散乱反射（scatter reflection）する光を研究対象とする。光は、散乱反射を繰り返しながら媒質のなかを漂い、知覚者を包囲している。このあらゆる方向から観察点を取り囲む光を、ギブソンは「包囲光（ambient light）」（同：54）と呼ぶ。包囲光は、周囲に存在する表面の状況（その最たるものは肌理である）に依存しており、光源から放射する光がエネルギーであるのに対し、包囲光は情報そのものである。ギブソンの生態光学にとって重要なのは、光がそこから放たれる光源の点ではなく、環境のなかに散在する表面で散乱反射した光が集まる、媒質のなかの一点、つまり、そのときその一点に位置している知覚者の観察点である。

3　知覚と行動の非分離性

ギブソンは、この包囲光という概念によって、知覚因果説を基盤とする従来の生理学的な視覚モデルの排斥を企てた。従来の視覚モデルとは、次のようなものである。つまり、ある光源から放射された光が、媒質のなかを直進し、眼という受容器を刺激する。すると刺激を受けた眼のなかの網膜が、光を電気エネルギーに変換し、そのエネルギーが神経を伝わって、脳のなかに集められ再統合された結果、像が結ばれる。この外的世界と内的表象の二分化を招くモデルと袂を分かつために、ギブソンは、光そのものは見ることができないという大胆な主張を展開する。つまり、包囲光は既に構造化されており、その構造が環境のなかで知覚者を取り囲む表面の構造に対応していると考えれば、光の刺激が脳あるいは精神のなかで再統合されるなどというややこしく、しかも矛盾をはらまざるを得ないモデルを回避することができる。ヒトが見ているのが、構造を持った包囲光、「包囲光配列（ambient optic array）」（同：56）であるならば、生理学的な視覚モデルが前提とする対象から反射して網膜に到達する光線は、視覚を可能とする要因の一つではあるかもしれないが、「見られるもの」とはなり得ない。ギブソン（同：56）は言う。

> 構造化されていない包囲光の場合には、環境は特定されず、環境に関する有効な情報は存在しない。その場合には光に差がないので、区別されることはなく、どのような意味においても情報は存在しない。

　包囲光配列を構造化する環境のなかでは、さまざま出来事が起こっている。地上で起こる出来事は、表面の配列の変化、表面の色や肌理の変化、表面の存在の変化に大別できる（同：102）。たとえば、髪や爪が伸びたり、筋肉がついたり、逆に皮下脂肪がついて太ったりすれば、配列の変化が起こる。好きな人と目が合って頬が紅潮したり、歳をとって角質の層数が増えたりすれば、色や肌理の変化が生じる。そして、人が死に腐敗し、その亡骸が様々な生き物の生命活動によって分解され固体としてのかたちを失えば、存在の変化が起こる。これらの出来事も表面のレイアウトと同様に、時間的に入れ子になっている。たとえば、ある生き物の一個体が生まれ出で、やがて死んで土に還るという相対的に長いスパンでの表面の存在の変化のなかには、その身体が成長し衰えるという表面の配列の変化が織り込まれており、さらにはその表面で絶え間ない色彩や肌理の変化が起こっている。これらの出来事を際立たせるのは「光学的配列の局所的構造におけるさまざまな乱れだけ」（同：120）である。そして、この「乱れ」という変化があるからこそ、相対的に持続している環境の側面を不変項として知覚することができる。つまり、変化するものと不変なものは相対的に特定されているのである。環境の持続と変化を反映し、包囲光配列には保存と乱れがある。ギブソン（同：264）は言う。

> 知覚とは、一定のパラメータの乱れとともに刺激流動中のある次元の不変性を記銘することである。その不変項は構造の不変項であり、その乱れとは構造の乱れである。……不変項は環境および自己自身の持続を特定する。乱れは環境および自己自身の変化を特定する。知覚者は、持続する環境内の自己の存在を意識［＝awareness：広義の意識（consciousness）ではなく、情報の直接抽出を意味する］し、また、環境と相対的な対象や非剛体面の運動とともに、環境と相対的な自分の運動も意識している。

環境のなかを動き回ることによって、知覚者は、環境のなかにあるモノや、環境のなかで起こる出来事を知覚すると同時に、動き回る自分自身を知覚している。視覚においては、観察者を取り囲む表面と、観察点としての知覚者を常に包囲光の配列が結んでいる。環境の知覚と自己の知覚は表裏一体の関係にあり、そこには、知覚因果説がもたらすような主体と対象の分離は存在しない。ギブソン（同：126）は言う。

> 主体と客体［＝対象］は領域が異なるものと考えられているが、実際にはそれはただ注意の両極に過ぎない。観察者と環境を分ける二元論は不必要であり、「ここ」の知覚が成立するための情報は「あそこ」の知覚に対する情報と同じ種類のものである。

ギブソンの生態学的知覚論においては、主体と対象、つまり内面性を備えた観察者と外的環境の二元論が棄却されるため、外的環境に対する入力と出力、つまり受動的な感覚と能動的な行為の二分化も否定される。〈知覚すること〉と〈行動すること〉は、環境からのインプットと、環境へのアウトプットではなく、知覚者が能動的に環境のなかを知覚し続けることの二つの側面である。

4　知覚システムとアフォーダンス

能動的な知覚において、環境のなかの情報を獲得するのは、これまでの知覚理論が前提としてきた、五感それぞれに結びつけられた耳、皮膚、鼻、舌、眼という受容器ではない。なぜなら、情報は受容器が受け取った刺激を基に構築されるものではなく、既に環境のなかに存在しており、動物やヒトは動きのなかでそれを獲得するからである。知覚者の身体が、そのなかに局在的な受容器をもっているのではなく、身体全体が環境の変化に応じて作動し、情報を獲得し続けるシステムを構成している。ギブソン（1985：260）は受容器に代わる、聴覚システム、触覚システム、嗅覚システム、味覚システム、視覚システムの五つの知覚システムを示す。

五つの知覚系は顕在的注意の五つの様相と対応する。それらは重複する機能をもっていて、いずれも多少とも全体的な定位系（orienting system）に従属している。感覚が受容器をもつのに対して、系は器官をもっている。系は定位、探索、精査、調節、最適化、共鳴、抽出のはたらきをすることができ、平衡状態になりうるが、他方、感覚はそうではない。

五つの知覚システムが従属する基礎定位システム（orienting system）は、陸生生物の場合「地表、すなわち、重力や支持表面といった、環境の変化しない主要なものへの永続的な定位づけを維持する」（ギブソン 2011：69）。それに従って、他の諸システムが、それぞれが対応する環境の側面に定位しながら、環境のなかを探索し、情報をピックアップしていく。そして、これらのシステムは同じ環境に対して協同して働き、同じ情報をピックアップしている。

たとえば、あるヒトが猫を抱いているとする。その時、視覚システムは、自分の腕が猫を抱いているという情報をピックアップしているわけであるが、ここで、眼をつぶったからといって、猫を抱いているという情報が途切れることはない。触覚システムが猫の体温や毛並みの手触りや重量感に、聴覚システムが猫の鳴き声に、嗅覚システムが猫の匂いに同時に定位している。ゆえに猫を抱くヒトは、眼をつぶっていながら依然として猫を抱いているという情報をピックアップし続ける。ギブソン（同：64）の言い回しに従えば、猫を抱いているという出来事について、四種類の刺激情報と四つの知覚システムは、〈等価〉であり、いくつかの知覚システムが同時に働いていれば、知覚される環境の情報は冗長となる。ギブソン（同）は言う。

> ある感覚を別の感覚で「確証する」必要はない。視覚の刺激作用が触覚の刺激作用と連合し、対象の意味を得ることができるなどといったように、ある感覚が別の感覚から意味を得る必要はない。この理論はある情報の経路が別の情報の経路よりも本質的に信頼できるとは考えない。

そして、このような知覚システムを持つ知覚者に獲得されるのを待ちかまえる、環境に内在する情報を、ギブソンはアフォーダンス（affordance）と呼んだ。アフォーダンスとは「環境が動物に提供する（offers）用意したり備えたりする（provide or furnish）ものである」（ギブソン同：137)。視覚においては、表面の構造やレイアウトが、アフォーダンスを構成している。たとえば、あるヒトの手のひらより小さい小石は、そのヒトに握ることをアフォードし、それ以上に大きな石は、両手で持ち上げることをアフォードしている。そのヒトの身体では持ち上がらない大きさ、あるいは重さの石は、地面を転がすことをアフォードしていると言える。環境が動物やヒトにアフォードするアフォーダンスには際限がなく、知覚は進み続ける。ギブソン（同：258）は言う。

音、臭い、肌ざわり、自然化学物質とともに、包囲光の中の情報は無尽蔵である。知覚者は、自分の生涯かけて、自分の住んでいる世界に関する諸事実に際限なく気づき続けることになろう。

環境からピックアップされるアフォーダンスは、際限なく存在するが、それらは変化することがない。このアフォーダンスの〈不変性〉は、モノの価値が観察者の要求に応じて変化すると考えるクルト・コフカ（1998）らゲシュタルト心理学者たちの先行理論との差別化を図るために、ギブソンが最も強調する特性である。ギブソン（同：151）は言う。

観察者は自分の要求によってある対象のアフォーダンスを知覚したり、それに注意を向けたりするかもしれないが、アフォーダンスそのものは、不変であり、知覚されるべきものとして常にそこに存在する。

しかし、ギブソン（1985：140）自身も言及するように、ヒトは環境のかたちを変えることで、環境が自分たちにアフォードするものを変えることができる。そして、なにより重要なのは、ヒトが手を加えようが加えまいが、環境は常に生成変化のなかにあり、動き続けている。環境そのものが動き続ける以上、その環境に内在するとされるアフォーダンスが不変であるということが果たして言えるだろうか。ギブソンの生態学的知覚論は、環境の居住者としての動物やヒトの身体に動きを取り戻したが、当の環境の側の動きは、まだ限定的で鈍いままである。

5　メッシュワークとしての地面

インゴルド（Ingold 2015）は、ギブソンの生態学的知覚論が定義する環境の問題点として、その固定性を指摘する。すべての陸生生物の知覚と行動の基盤としての絶対的な地面の上に、遊離対象（detached object）が転がっていたり、付着対象（attached object）が張り付いていたりするというのが、ギブソンの基本的な陸上環境についての描写である（ギブソン 1985：85）。そして、ヒトも、地面に支持され、その上に定位している。このような固定的な地面の上に位置するものとして描かれるヒトを、インゴルドは、余所者（exhabitant）として批判する。インゴルドの考えでは、世界は、万物の動きのラインによって織り上げられたメッシュワークであり、世界のなかでかたちを結んでいるモノは、ラインの束の間の結び目に過ぎない。

　インゴルド（Ingold 2015：22）は、自身が主張するメッシュワークの対極として、ビルディング・ブロックやチェーン、コンテナで構成されるものとして描かれる世界像をあげる。この世界は、あらかじめ裁断された断片が組み立てられることでかたちづくられる。そして、ギブソンの描写する環境は、このような世界像への親和性を持つ危険を孕んでいる。なぜなら、ギブソンが思い描く環境は、全ての土台としての地面の上に、遊離対象や付着対象が「まるで飾り台の上の模型や舞台の上の書割のように」（インゴルド 2021：237）据え置かれているように見えるからである。それは、平面の上にあらゆるモノがばら撒かれたネーデルラントの地図のような世界である。インゴルド（同：32）は、摩天楼モデル／山モデルの対比から、この問題を説明する。まず、「摩天楼モデル」では、建造物の部品が上部から土台へと降ろされ、積み上げられていく。現実の超高層ビルの建設方法から見ても分かるように、これはビルディング・ブロックによる構築物と言える。摩天楼は、子どもたちが玩具の積み木やブロックでつくる家のように、均質なパーツを隣接させ組み合わせることによって建造される。そこで働いているのは、「純粋な水平の原理」（同 2015：32）である。それに対して、山はどうだろうか。第1章でも示したように、山は、大地の地殻変動（テクトニック）から生じる。すべての山や丘や谷は、地面の襞であり、床の上に置かれた積み木やブロック、あるいはギブソンのいう遊離対象や付着対象のように、地面の上に散在する構造物ではない。山は、「素材が下から沸き上がるようにその構造のなかに入り込む」（Ingold 同 2015：33）「押し出しモデル」によって形成される。地面は、ただ陸生動物やヒトがその上に定位し、動き回ることをアフォードするだけのフラットな下部構造ではない。そして、杉浦（2000）が、摩天楼を土のなかから生い茂る葦にたとえたように、摩天楼の素材であるコンクリート、鋼、ガラスなどは「大地から来たものであり、やがて大地に還る」（Ingold 2015：35）。さらに、地面がただのフラットな表面でないのは、大地が動いているからだけでなく、ギブソンが媒質と呼ぶもの、つまり地上における空気もまた流動しているからである。インゴルド（同：38）は言う。

> 地面は、物質世界を包み込むのではなく、素材の世界の内側で（within a world of materials）、大地という相対的に固い物質（substance）と、空気という相対的に移ろう媒質（medium）とのあいだの中間域を構成する。

ギブソンもインゴルドも地面をインターフェイスと見ていることに変わりはない。しかし、ギブソンのインターフェイスを空気と大地を分かつ明確な界面と捉える主張に対し、インゴルドは異を唱える。なぜなら、空気と大地は、常に力を及ぼしあっている。そして、その中間域

（インターフェイス）こそが地面である。ギブソンは、動物やヒトに歩行、知覚、呼吸をアフォードするものとして媒質を定義するが、そこで焦点化されていないのは、媒質の流動そのものとしての天候である。後に示すように、光や音は、媒質のなかを通過してヒトに見ることや、聴くことをアフォードするのではなく、媒質の流動そのものとしての光や音の体験が、ヒトの見ることや聴くことを可能にしている。インゴルド（同：41）は言う。

> 私たちは、ランドスケープを視界として扱い、屋内の白い壁にされるように、私たちの精神に光学的に投影された絵画のなかで世界を見ていると想像する。この絵画のランドスケープのなかには天候がない。

インゴルド（同：42-43）は、天候が存在する世界において、大地と空気のあいだで織り上げ続けられる地面について、四つの特徴をあげる。

（一）動きのなかで**運動感覚的**（**kinaesthetically**）に知覚される
（二）**際限なく多彩**（**infinitely variegated**）に顕れる
（三）**混成**（**composite**）である
（四）すべてのモノの所与の土台ではなく、**連続的発生**（**continuous generation**）を経ている

（一）について、知覚者は、地面の襞の起伏を、それに沿って踏みしめつつ歩を進めることによって知覚する。視覚も、北海の船乗りが海に浮かぶ船の上からしていたように、陸地の起伏を歩行視によって辿っているのである。この眼は、「素早く動いて瞥見する眼」（ジェイ 2017：73）である。この点は、ギブソンの生態学的知覚理論と親和的であり、知覚者は、環境のなかの情報に定位しつつ、探索を続けることによって、環境の流動と、それに沿って動く自身の身体を同時的に知覚している。

（二）について、大地と空気の中間域である地面は、両者の動きの只中で無限に変化する。インゴルド（Ingold 2015：42）は言う。

> これらの変化は、形状についてだけでなく、物質や色彩、肌理についてのものでもある。というのも、ギブソンが地面に置かれていると想定していたすべての散在物は、実際にはまさに地面の構成物である。もちろん表面は、近くから遠くまでいろいろな尺度で観察することができ、それぞれが異なるパターンや肌理、ざらつきを見せるであろう。

この地面の多彩さも、ギブソンが言及するところである。先にあげたように、ギブソンの環境でも、あらゆる表面は固有の肌理を持っている。それらは、大きさに関しても、形状に関しても、あるものが他のもののなかに入れ子になっており、知覚者との関係によって観察される単位は変化する。しかし、ギブソンは、彼が地上の環境の基盤であると考える地面の先行性を強調し過ぎている。そのため、ギブソンが言う肌理は、まるで所与の表面に張り付いた模様のようである。鳥の視線で上空から見渡された地面の肌理は、ボードの上に散りばめられた幾多の遊離対象や付着対象ように捉えられる。だが、肌理とは、地面がその上に所有するものではなく、地面の動きそのものである。肌理が、繊維のラインが織り合わさった織物の質感を意味することからも分かるように、地面は、その下を這い回る植物の地下茎や根、キノコの菌糸、その上を動き回り、動きの痕跡を刻みつける陸生の動物たち、さらには、その下の地殻変動、その上の媒質の流動が絡み合うことで織り上げられた布地（textile）なのである。これが、インゴルドの指摘する（三）であり、地面は「異なる素材の寄せ集めから成る縺《もつ》れ」（Ingold 2015 : 43）である。

既に述べたように、ギブソンの描く環境における地面と最も相容れないのが、（四）である。ギブソンの環境では、物質と媒質、つまり大地と空気を分離するのが地面であった。しかし、インゴルドの主張では、本書でも繰り返し述べてきたように、物質と媒質とのあいだの絶え間ない反作用によって地面は構成されているのである。あいだの領域である地面では、そこに生きる植物によって、大地と空気のあいだで何かしらの交換が常に営まれている。というよりも、植物の働きによって大地や空気がつくられている。エマヌエーレ・コッチャのことばを借りれば、ほぼ全ての有機体にとって世界とは「植物的生命の産物、いわば悠久の昔からの、植物による惑星全体の植民地化の産物」（コッチャ 2019：2）なのである。そして植物は、その生命が続く限りにおいて、自身の身体に葉や花、茎、地下茎、根など新たな器官を絶え間なく増築し続け、古くなった器官を処分していく。それら処分された器官や、植物に生かされてきた生き物の死骸や排泄物などは、節足動物や環形動物、菌類、細菌類によって分解され腐植となる。これにより新たな中間域としての地面が形成される。そして、その従事者であるダンゴムシやミミズは、布地の表と裏を行き来する糸のように、大地のなかと空気のなかを行き来している。コッチャ（同：5）は言う。

> 世界の起源は季節的・周期的に繰り返されては、存在するあらゆるものと同様に凋落していく。起源は物質でも基礎でもなく、大地のみにあるのでも、大気のみにあるのでもない。むしろそれは両者の中間部分にある。

さらに腐植等の土壌有機物は有機栄養細菌によってアンモニア態窒素へと無機化されるか、別の微生物の働きでその一部が無機体リン酸のような無機物に変換されることによって、植物は窒素やリン酸を吸収し成長することができる（藤原 2019：47）。それにより、再度植物の働きによって空気という媒質がつくられ、明日も様々な生き物たちは呼吸をすることができるのだ。

地面は、ギブソンが主張するような生き物に予め備えられた所与の基盤ではなく、生き物の動きのなかで形成される。地面は、「間質的（interstitial）」なものであり「生命が営まれる場では、地面の継続的な形成において、地上の物質が空気という媒質と結合している」（Ingold 2015：43）。もし、物質と媒質の分離を維持するものがあるのなら、それは地面ではなく、人工的な「大地の表面仕上げ（surfacing）」（同：45）である。しかし、アスファルトなどで表面仕上げされた表面ですら、空と大地の自然力に抗い、その形態を維持し続けることはできない。空と大地の自然力は、「地面を上から浸食し、下から覆す」（同：45）。空は雨や風といったその流動的側面によって、アスファルトを摩滅させ、大地は地殻変動によって、アスファルトに亀裂を入れバラバラにする。表面仕上げを維持するためには、ヒトは常に環境の流動と格闘し続けなければならない。これが、港（2018：19-20）の言う諸行動常である。アスファルトの破片を用いたインスタレーションを行う芸術家の鈴木ヒラクが指摘するように、文明の象徴のように感じられるアスファルトも、もとは有機物の化石が堆積した大地から出来ており、それらが大地のなかに還っていくのは必然であるとも言える。そして、杉浦（2000）は、アスファルトを踏みしめる身ぶりによって、東京という土地と交感するのである。

6　媒質のなかで知ること

ここまで、インゴルドが描く生成変化する世界を、地面に焦点を当てて見てきたが、彼が最も重視したのは、媒質つまりヒトにとっての空気の流動である。地面に焦点を当てて分析された生成変化する土地は、ランドスケープということばで語るに足りるが、そこに媒質の流動を含めて記述するためインゴルドが提唱するのが、「気象世界（weather-world）」である（インゴルド 2021：237）。ギブソンが、媒質の重要性を説いたのは、それが光を反射し、振動し、揮発物がそのなかを拡散するからである。しかし、媒質は光や音や揮発物を通過させるだけでなく、常に知覚者をそのなかに浸している。インゴルド（Ingold 2015：70）は言う。

> 空気は、知覚者が知覚するものというより、そのなかで、知覚するものである。同じように、私たちは、日光のなかで見る。日光の陰影と色彩は、対象物の外形よりも地表の構成や肌理を明らかにする。私たちは、多様な素材に降り注ぐ雫の音から、雨のなかでこれらの肌理を聞く。そして、私たちは――突き刺すことで――身体を開き、その触覚と嗅覚の反応を研ぎ澄ます、鋭い風のなかで触り、嗅ぐ。

媒質のなかでヒトがモノゴトと関係するとき、その質は、媒質の振る舞い、つまり天候によって調整される。そして天候という媒質の振る舞いによって、モノゴトは生成変化していく。それを表すのは天候（weather）という語の動詞的な意味、風化（weathering）である。インゴルド（同：71）は言う。

> 風化は、存在のざらつき（grain）や肌理をもたらし、存在が共感において結び合わされることを可能にする。風化とは、自然力の渦巻きがラインの紡績になり、大嵐が時間を生み出す場である。

日光や雨、風によって、モノの表面に多様なラインが刻まれる。ざらつきや肌理は、ギブソンが言うように、表面を有する「物質の構成要素に依存する」（ギブソン 1985：25）だけではなく、媒質の振る舞い、天候によって与えられる。地面がそうであるように、あらゆるモノの表面は、物質と媒質の界面ではなく、両者が反作用するあいだの領域である。表面がざらつきや肌理を有しているのではない。天候の痕跡としてのざらつきや肌理そのものが表面なのである。そして、渦を巻く天候が新たにラインを刻み続けることによって、肌理の変化は持続し、ヒトは、モノの肌理を見ることで時間を感じることもできる。天候によって生み出される時間は、決して無秩序なわけではない。天候と風化のパターンは、「――昼と夜、太陽と月、風と潮流、植物の成長と腐敗、そして移住性の動物の往来という――環境の多様でリズミックな交替」

（Ingold 2015：71）のなかに織り込まれ続ける。ある環境の居住者たちは、このリズミックな交替に精通しているため、自分たちが生きる環境から、様々な恵みを取り出すことができる。風と潮流のリズムを知る船乗りや漁師は、それらが織り成す砂州から、航海を導いたり、二枚貝を収穫したりすることができる。

インゴルドの言う媒質の流動、ヒトのような陸生生物にとって大気は、もちろん物理的なものではない。インゴルドは、atmosphere という英単語が、大気と雰囲気という二つの意味を持つことに着目する。一般的に、大気という意味を持つとき、この単語は物理的（physical）な文脈で用いられ、雰囲気という意味を持つときは、心理的（psychic）な文脈で扱われる。しかし、インゴルド（同：79）は、大気＝雰囲気（atmosphere）が、そのどちらでもなく、宇宙的（cosmic）であることと情動的（affective）であることの融合であると考える。大気＝雰囲気は、媒質の変動と、それに対応するヒトの気分や意欲の調節や適合との混淆において顕れる。その顕れはヒトに光や音として知覚される。つまり、インゴルドは、光や音をギブソンのように媒質のなかを通り抜け、観察点に到達するものではなく、大気現象そのものとして定義する。光や音は、光源や音源から放射状に広がり、知覚者に一方向的に伝達されるのではなく、媒質の変動として、知覚する者と知覚されるモノを浸している。インゴルド（同：82）は、アラスカからカナダのブリティッシュ・コロンビアにまたがる、ユーコン川流域の太平洋沿岸と山に挟まれた環境で暮らす、トリンギットの人びとを例にこのことを説明する。たとえば、彼らの生活圏に存在する氷河は、外部の人びとからすれば知覚の対象であるように思われる。しかし、氷河に囲まれた環境の居住者であるトリンギットたちにとって、氷河は、音、光、感触すべてを包み込む経験、つまり大気＝雰囲気として顕れる。ゆえにトリンギットたちは、氷河が聴くことができる存在であると信じている。インゴルド（同：82）は言う。

大気＝雰囲気の顕れのなかで、知覚者が聴くとき、氷河も知覚者の意識を満たす。それは、それの音のなかで知覚者を通して聴く氷河である。同じように、知覚者が見たり、触れたりしているのは、それの光のなかで、それの感触のなかで知覚者を通して見たり、触れたりしている氷河である。

ヒトが何かを知覚することとは、同時に、その何かによって知覚されることでもある。モノは知覚の対象ではなく、知覚することにおいて知覚者とともに（with）在る。しかし、これは、氷河が氷河自身で何かを知覚することができないように、モノがモノ自体だけで知覚することができる存在であるというわけではない。ここで、インゴルドは、メルロ＝ポンティ（2004）の未完の草稿「問いかけと直観」に登場する「纏綿《てんめん》（enroulement）」という概念を借用する。纏綿についてメルロ＝ポンティ（2014：185）は言う。

> これら［＝色彩、音響、触覚的な肌理《きめ》］を捉える者が、一種の纏綿（enroulement 巻き込み）、もしくは重複（redoublement）によっておのれがこれらから出現し、これらと根本的に同質だと感ずるという事態、彼が、ほかならぬ自己へと到来するところの可感的なものそのものであり、その代わりに、この可感的なものが、彼から見て、彼自身の写し、あるいは彼の肉の延長となるという事態なのである。*

ここで、知覚者である〈私〉は、ある一定の時間と空間のなかにいるわけではなく、かといってどこにもいないわけでもない。〈私〉は、それぞれの色彩、それぞれの音響、それぞれの肌理から出現し、色彩そのもの、音響そのもの、肌理そのものとして、〈私〉に到来する。ゆえに、「この場所にいながらも、絶えず私は至るところにいる」（メルロ＝ポンティ 同：185）。この纏綿をインゴルド（Ingold 2015：86）は、モノの側から説明する。

> 感覚に浸されて（immersed in sentience）、各々のモノは、あるがままに、それ自体を見、

＊纏綿（enroulement）、重複（redoublement）は後期メルロ＝ポンティ思想に大きな影響を与えた、アルフレッド・ノース・ホワイトヘッドの重複（overlapping）の訳語であるが、この他にも文脈に応じて、浸食（empiètement）、またぎ越し（enjambement）などとも言い換えられている。

触り、聴くように、逆戻りする。……〈巻きつくこと（coiling over）〉において、知覚者は、知覚するモノと一つになる。

知覚者がモノを観察するとき、目は、見ることの道筋（way of looking）のなかにモノの存在をすでに吸収している。モノは、知覚者の目を経由して、巻き付き、それ自体を見る。媒質のなかでモノの存在を吸収することは、大気＝雰囲気を吸い入れることである。逆に、モノが知覚者を経由して、モノ自体を知覚することは、大気＝雰囲気を媒質のなかに吐き出すことである。吸気と呼気においてヒトは大気＝雰囲気のなかで生きている。コッチャなら、大気という媒質に浸されること、つまり吸気と呼気によって世界と混じりあうことは、ヒトの知覚の在り方にとどまらない、存在することそのものであると主張するだろう。コッチャ（2019：93）は言う。

息を吸い込むとは、わたしたちの中に世界を到来させること、つまり、世界がわたしたちの内にあるようにするということ、息を吐くとは、わたしたち自身にほかならない世界に、自分自身を投げ出すことである。……わたしたちが生き、考え、知覚し、夢想し、呼吸し始めるときから、世界はその無限の細部においてわたしたちの内にあり、物質的・精神的にわたしたちの身体と魂に浸透して、わたしたちを成立させるかたち、内実、現実をもたらすのである。世界は場所ではない。それはすべてがすべての中にあるという浸りの状態、トポロジカルな内在性の関係など一瞬にして覆す混合の関係なのだ。

この相互浸透こそが、古代ギリシアから息吹（pneuma）と呼ばれていたものに他ならない。ゆえにコッチャにとって存在論とは即ち〈呼吸学（pneumatology）〉なのである。話をインゴルドのメッシュワークに戻せば、ここに、彼が提唱する二つの学（-logy）*、つまり、両者が補完し合い世界について考察する〈ライン学（linealogy）〉と〈気象学（meteorology）〉の関係が見えてくる。インゴルド（Ingold 2015：87）は言う。

> 生ける存在は、大気＝雰囲気的な媒質のなかを泳いでおり、推進のラインに沿って前方へ徐々に進んだり、媒質の吸収において後方へ引き寄せたりを交互にする。空気を吸うとき、大気＝雰囲気を吸気し、呼気という外へ向かう呼吸に乗せて、話、歌、物語、そして手跡のラインを世界という織物に織り込む。

気象学が扱う大気＝雰囲気は、吸気つまり吸い込むことに関係し、ライン学が扱うメッシュ

*「思考」あるいは「理性」を意味する古典ギリシア語 logos に由来する接尾辞 -logy は、「〜についての科学」や「〜についての研究」を意味する。

ワークは、呼気つまり吐き出すことに関係する。すべての生ける存在は、「必ず大気＝雰囲気のなかに浸されており」同時に「メッシュワークの編み合わさったラインに沿って、それ自身を世界に縫い合わせる」（Ingold 同：87）。つまり、大気＝雰囲気が生ける存在の身体を通過し、メッシュワークに編み込まれる新たな糸となっていく。インゴルド（同：88）は言う。

> 現実世界では、時間は前進し、生きている者、すなわち呼吸する存在は、大気＝雰囲気の浸漬が、増殖するラインに沿ったメッシュワークの触覚的な伸長に変換される場所である。

大気の流動が、波を荒立て、砂州を動かし、帆に風を孕ませ帆船を動かす。その動きが航跡のラインとして束の間海面に刻まれる。船乗りたちの営為を通して、大気＝雰囲気がメッシュワークに変換されていく。地面の上では、大気の流動がヒトの体内を行き来すること、そして、ヒトが一歩々々歩を進め痕跡を刻んでいくことが、リズミックに繰り返される。この繰り返しのなかで、ヒトは土地を織り上げていくのである。

ギブソンが提示した媒質の特性、つまり、ヒトに移動をアフォードすること、ヒトに知覚をアフォードすること、ヒトに呼吸をアフォードすることは、それぞれ個別の側面ではなく、大気＝雰囲気のなかでヒトが生きているということにおいて一つになっている。そして、事後的にモノがヒトに何かをアフォードしたと言えるとしても、それは、大気＝雰囲気のなかでヒトとモノが知覚によって絡み合ったときに立ち現われる。モノは、知覚されることを待ち構える情報（アフォーダンス）を持った対象として、世界のなかに据え置かれているのではない。

7　分裂＝融合

さらに、インゴルドは、ギブソンの生態学的知覚論のもう一つの問題点を指摘する。それは、知覚因果説に基づく従来の生理学的な知覚モデルを排斥するためにギブソンが標榜する、光そのものは決して見ることができないという大胆な主張である。ギブソンが主張するように、物質の表面で散乱反射し、知覚者の位置（観察点）で構造化された光の配列だけが見ることのできるものであるならば、月や雲が現れていない昼の空と夜の空は識別され得ない、というのがインゴルドの論点である（同：91）。インゴルドは、ギブソンとギブソンが批判する立場、つまり、デカルトの知覚因果説を基盤とする刺激―反応の知覚モデルが共有する誤った仮説を俎上に上げる。それは、光が光源から放射され直進する光線（rays）であるという仮説である。この光線が物理的な原因であり、その結果として網膜刺激が起こる。生理学的な視覚モデルは、これを肯定するがゆえに、受容器としての網膜が光線しか受け取らないという意味で、光は見ることができると主張する。逆に、ギブソンは、これを否定するがゆえに、視覚システムが捉えるのは、包囲光の配列という構造だけであり、光は見ることができないと主張する。しかし、この発光源から知覚者へ直進する光線が光であるという仮説そのものを、インゴルドは否定する。知覚者は、「純粋な光輝（luminosity）」を見ており、「純粋な鳴り響くこと（sonority）」（同：93）を聞いているが、それらは、エネルギーのインパルスとして考えられる科学的な光や音のように源泉と受け手の「二つを連結する一直線の」ラインではなく、「風と同じように、それらのあいだの領域で渦巻く」（同）ラインである。

　インゴルドは、大気＝雰囲気のなかで、渦巻く光を知覚することを、フィンセント・ファン・ゴッホの絵画《星月夜》（図3-1）に見る。《星月夜》はタイトルの通り、地平線を低く取り、月と星が輝く夜空を大きく捉えた風景画であるが、そこでの月や星は、黄色やオレンジ色の渦巻きとして描かれている。夜空の他の部分も、青色系の絵具のラインで描かれているが、星々を瞥見する視線が、星の色彩を引きずるように、青色のなかに黄色のラインが混じり込んでいる。ゴッホが描く渦巻く星の光、というよりも光の渦巻きとしての星は、「光線が方々に扇状に広がる中心」ではなく「旋回軸であり、旋回する眼と協調して、その軸の（そして他の星々の）周りやあいだを（around and between）、光が渦巻く」（同：96）。知覚の場では、物理的な知覚対象も、心理的な知覚主体も存在せず、情動的なものと宇宙的なものを結びつける、大気＝雰囲気的な現象だけが存在する。大気＝雰囲気というあいだの領域で、知覚者と知覚されるモノに生起していることをインゴルドは、〈分裂／融合反応（fission / fusion reaction）〉と呼

図3-1　フィンセント・ファン・ゴッホ
《星月夜》（1889年）
カンヴァスに油彩、73.7×92.1cm
ニューヨーク近代美術館

ぶ。インゴルド（同：99）は言う。

> ……融合において、星や太陽は、私の眼のなかで、私とともにある。もし石が石のようになった手を通じて触れ、もし雷が雷に打たれた耳を通じて聴くのなら、同じように太陽や星は——巻きつき（coiling over）——、太陽のような眼、星に打たれた眼を通じて見る。しかし、分裂において、私は私から逃れ、宇宙のうちの、すなわち自然力のうちのあちこちにいる。私は、それらとともに——太陽や星たちとともに、風や嵐とともに、石とともに——あり、同時に、私の身体は幽霊になった。

デカルト的遠近法主義から導かれる〈内的主観〉は、自己とともにあるが、宇宙からは分離している。それとは逆に、メルロ゠ポンティやインゴルドの知覚理論から導き出される知覚者は、宇宙とともにあるが、自己からは分離している。そこには、物理的な外的物質や心理的な内的自己の二分法が存在する余地はなく、大気＝雰囲気のなかで、ヒトとモノは、宇宙的＝情動的なものとして融合している。

郵便はがき

料金受取人払郵便

神田局
承認

1280

差出有効期限
令和５年３月
31日まで
（切手不要）

101-8791

535

千代田区外神田
二丁目十八―六

春秋社

愛読者カード係

*お送りいただいた個人情報は、書籍の発送および小社のマーケティングに利用させていただきます。

(フリガナ) お名前	歳	ご職業
ご住所 〒		
E-mail 小社より、新刊／重版情報、「web 春秋 はるとあき」更新のお知らせ、イベント情報などをメールマガジンにてお届けいたします。	電話	

※**新規注文書**（本を新たに注文する場合のみご記入下さい。）			
ご注文方法 □**書店で受け取り**	□**直送(代金先払い)** 担当よりご連絡いたします		
書店名	地区	書名	

読ありがとうございます。このカードは、小社の今後の出版企画および読者の皆様と連絡に役立てたいと思いますので、ご記入の上お送り下さい。

名〉※必ずご記入下さい

●お買い上げ書店名（　　　　地区　　　　書店　）

書に関するご感想、小社刊行物についてのご意見

※上記をホームページなどでご紹介させていただく場合があります。（諾・否）

購読メディア
聞
誌
の他
ディア名
（　　　　）

●本書を何でお知りになりましたか
1. 書店で見て
2. 新聞の広告で
(1)朝日 (2)読売 (3)日経 (4)その他
3. 書評で（　　　　紙・誌）
4. 人にすすめられて
5. その他

●お買い求めになった動機
1. 著者のファン
2. テーマにひかれて
3. 装丁が良い
4. 帯の文章を読んで
5. その他
（　　　　）

内容
□満足　□不満足

●定価
□安い　□高い

●装丁
□良い　□悪い

最近読んで面白かった本　（著者）　　　（出版社）

書名）

春秋社　電話 03-3255-9611　FAX 03-3253-1384　振替 00180-6-24861
E-mail:info@shunjusha.co.jp

第Ⅱ部

第4章 芸術と織地性《テクスティリティ》

1 反―質量形相論

第I部で繰り返し述べてきたように、世界は、所与の対象物によって組み立てられてはおらず、常に生成変化のプロセスにある。インゴルドのことばを借りれば、それは、気象世界（weather-world）である。アメリカの作曲家ジョン・ケージも同様に、世界は生成変化のプロセスであると主張する。ダニエル・シャルルによるインタビューにおいて、ケージは言う。

……それ［＝世界］は在るのではなく、成るんです。動き、変化するのです。……〈生じる〉ということは、それが対象物《オブジェ》のようにそこにあるのではないことを表しています。世界は、現実は、対象物《オブジェ》ではない。それは過程《プロセス》なんです。

（ケージ：シャルル1982：63）

世界が、生成変化のプロセスであるならば、その動きの只中でヒトが何かをつくることもまたプロセスであり、つくられるモノも、常につくられつつあるモノとして、プロセスであり続ける。つまり、ケージの音楽は常に生成変化のプロセス、彼の言う「開かれた状態」（同：145）であり続けるため、最終的な生産物としてかたちを閉じることがない。ケージは、人々を「開かれた状態」へと連れ戻すために音楽をつくり続けるのである。ゆえにケージは、自身の作曲する音楽を、「変化の音楽」（同：63）と呼ぶ。ケージ（同：64）は言う。

> 私達が望んでいるのは在るものを体験することです。しかし、〈在るもの〉は必ずしも安定した不変なものではありません。……瞬時、私達が流れ動いてゆく出来事を論理的に矮小化しそうになるのを防ぎ、世界の姿である過程《プロセス》へと私達を近づけることが、その「＝芸術の」役目なんです。

音をあるがままの状態として提示すること、そのためにケージは作曲に偶然性を導入した。地面に打ち付ける雨音も、風に靡く草の動きも何も意図していないし、なにも表現していない。そこに不用意に意図や意味を探るとき、ヒトは出来事を固定し、その感触を矮小化してしまう。ケージの音楽が人々に求めているのは、あるがままの音の感触を、感触のままとして聴き続けることである。

造形芸術の分野でも、ケージと同様に、芸術がプロセスであることを繰り返し主張し続けたつくり手がいる。それは、画家のパウル・クレーである。クレーは、一九二一年から一九三一年までの十年間、ドイツの反アカデミー的な総合芸術学校、バウハウスで教鞭を執っていた。彼は講義のなかで、既定のかたちではなく生成しつつあるかたちが重要であることを、学生たちに繰り返し教授し続けた。一九二三年の講義において、型に嵌った課題作品を提出する学生たちに、かたちづくることの道、〈フォルムング〉の重要性を説いたクレーは、翌一九二四年一月九日の講義でも、このことを復習させる。クレー（1981：379）は言う。

> まさに、現象としてのフォルムは、危険な悪い幽霊である。善いのは、運動としてのフォルム、行為としてのフォルムであり、行為するフォルムが善い。悪いのは、静止、終わりとしてのフォルムであり、受け身の、結果としてのフォルムは悪い。善いのはフォルムングである。悪しきはフォルム。フォルムは終点であり、死である。フォルムングは運動であり、行為である。フォルムングは生命である。

クレーが芸術の根幹と捉えるフォルムングとは、かたちづくることの運動、行為、生命、つまりかたちがかたちづくられつつあるプロセスである。ゆえに、最終的な生産物としてかたちを結び、前進するエネルギーを失ったフォルムは、芸術の敵であり、死物同然のものなのである。

ケージやクレーの芸術実践、あるいはこの先紹介する彼らに触発されたインゴルドの芸術論が克服しようとしたものはなんであろうか。それは、つくり手が内的なイメージに則して外的な対象物を加工するという、西洋に根強く蔓延る「つくること」のモデルである。このモデルでは、既定のかたちに沿ってつくられた最終的な生産物こそが重要であり、かたちづくることのプロセスは、目的から結果へと向かう経過の「途中（halfway）」（Ingold 2015：151）に過ぎないとされる。インゴルド（2021：483）は、このモデルが、アリストテレスの思想に起源を持つ、質量形相論（hylomorphism）であると指摘する。

アリストテレス（1968）は、モノをかたち（形相 morphe）と物質（質料 hyle）が結合したものであると考える。世界のなかで生成するモノのうち、「およそ技術によって生じる事物は、〔技術家の〕心のうちにそれの形相をもっている」（アリストテレス 1968：226）。たとえば、「青銅の球」が存在するためには、「球」というかたち（形相）と、「青銅」という物質（質料）が必要になる。アリストテレスは、技術を持つヒトによってモノがつくられるプロセスを、次のように説明する。ヒトが持つ技術によって何かが生成する場合、そこには、推理過程と制作過程の二つのプロセスが存在する（同：226）。推理過程とは、特定の技術を持ったヒトが、その者の心のなかにあるかたち（形相）をどのようにすれば実現できるのかを推理するプロセスである。そして、そのかたちを雛型に物質（質料）を変形、転化させていくのが制作過程である。たとえば、ある建築家が家をつくる場面を例にすると、そのプロセスは次のように説明できる。まず、家の最終的なかたちは、予め建築家の心のなかに像を結んでいる。建築家は、束石や柱や梁をどのような手順で、どのように組み合わせれば心のなかの家のかたちが実現できるかを推理し、図面を引く。これが、推理過程である。その後、図面に投影されたかたちに沿って、大工や左官などの建築業者たちが、外的世界にある物質（セメント、材木、壁土など）を加工したり、組み合わせたりして、実際の家をつくり上げていく。これが、制作過程である。アリストテレスは、技術を、技術を持つヒトの心のなかにある、その技術によって制作されるモノの形相と考える。アリストテレス（同：226）は言う。

> ……健康は健康から生じ、そのようにまた、家は家から生じるとも言われる、すなわち、質料のないそれ〔すなわち形相としての健康や家〕から質料を具有したそれが生じるという意味で。というのは、医術や建築術は、それぞれ健康のまたは家の形相であり、そして質料のない実体〔形相〕と私の言うのはその本質のことだからである。

この説明に従えば、「建築家が建築の技術を持っている」とは「建築家が家のかたち（形相＝本質）を心のなかに持っている」ことと同義となる。そして、その心のなかにある家の本質を、まるで型押し機で物質に押しつけるかのようにして、具体的な家が完成する。このようにアリストテレスは、形相がモノの本質であり、質料に勝るものであると考えた。しかし彼の理論では、未だ形相と質料とは互いに相補的なものとして位置付けられている。

　インゴルドは言及していないが、素材憎悪とでも言うべき形相優位の思想を展開したのは、ネオプラトニズムの創始者とされるプロティノスである。プロティノス（1987）は、質料が完全な悪であり、形相によって克服されるべきものであると考える。彼は、荒削りの石より、つくり手の持つ技術によって人間の像に仕上げられた石（石像）のほうが美しいと感じることを例に、質料に対する形相の優位性を主張する。その主張によれば、美は技術そのもののなかに存在し、その技術をつくり手が分有している。技術を分有する程度に応じて、美しい像の姿はつくり手のなかに内在し、つくり手は、技術によってその姿を、元々はそれを所有していない素材（石）に注ぎ込むことができる。つまり、美しい像の姿は、石のなかにやってくる以前に、それを観照するつくり手の内に存在しているのである。プロティノスは、質料を、形相に抗う克服されるべきものと考える。プロティノス（同：525）は言う。

> ……これ〔＝技術の内から出て石にやって来た美〕すらも、石の内に純粋な姿で、あるいは芸術〔＝技術〕が欲した通りの状態でとどまったわけではなくて、その石材が芸術〔＝技術〕に屈服した程度に応じてなのである。

美を内在させて、つくり手に分有された技術は、質料としての石に美を持たせることができる。しかし、美そのものが石のなかに入ったわけではなく、技術のなかに内在する美よりも劣ったものが石に入ったに過ぎない。しかも、美よりも劣ったものが、つくり手が観照した形相そのままに石のなかに留まるのでもなく、美より劣ったものがどの程度実現されるのかは、質料である石の技術への屈服具合よって左右される。ここでは、つくられたモノの完成度は、いかに技術が質料を克服したのかの度合いによって決定するのである。この、プロティノスの制作モデルについてエルヴィン・パノフスキー（2003：47）は説明する。

> 芸術作品の美もまた、質料のなかに理念的［イデア的］形相が「遣わされる」ということのうちに、そしてまた、形相が粗野で動きのない質料を克服しながら、いわばそれに魂を与えること、あるいはむしろ、魂を与えようとすることのうちにこそあるのである。

質料は、粗野で動きがなく、まるで死物のようである。ゆえに質料は、形相によって魂を与えられなければならない。ここに、インゴルドが批判する意味での質料形相論が完成することとなる。そしてこの理論は、西洋世界の制作モデルに深く根を下ろすことになったのである。

2　素材に従うこと

形相の動きの妨げとなる凝固した質料に貶められた素材を、再び生成変化の流れのなかに連れ戻すため、インゴルドは、つくることの織地性《テクスティリティ》に焦点を当てる。歩き回ることで世界を運動感覚的に知覚しながら、歩行の痕跡を世界に織り込む徒歩旅行者のように、つくり手は、素材の肌理やざらつきに従うことで、それらを知覚すると同時に、素材とともにつくることの道筋を進み続ける。インゴルド（2021：484）は言う。

> つくり手は、放浪し歩きまわるのであり、そのわざは運動状態にある世界のざらつき［(grain of the world's becoming)］を見つけ出し、その展開をなぞるとともに、発展しつつある目的に適うようにその流れを導いていく。

工芸について知識がある者なら誰でも知っているように、職人たちは、素材に従うことなしに何かをつくることはできない。ここでは、漆工を例に考えよう。漆工に関わる動詞はなにかと問われれば、多くの人々は「塗る」と答えるだろう。しかし漆工のプロセスにおいて、漆を刷毛で塗る作業は全体のほんの一部分にすぎない。もちろんそれは、漆工が「木地師《きじし》、漆かき、刷毛師、濾紙漉きなど幾多の周辺技術が複合された文化」（澤口 2007：60）だからであるが、塗師が担うプロセスにおいても、刷毛で漆を塗るのは最終工程とその直前くらいなのである。

漆器の塗面を仕上げる最終工程「上塗り」において、塗師がいかに漆に従わなければならないかを知るには、漆樹から漆を採取するところから話をはじめる必要がある。なぜなら、塗師が従う漆という素材は千姿万態であり、その性質は、漆あるいはそれを生み出す漆樹と周辺技術者（ここでは漆掻き職人）との関わりのなかで決定されるからである。漆は、漆樹が自身についた傷を塞ぐために、内樹皮の樹脂道（周囲に樹脂を分泌するエピセリウム細胞がある）から分泌する樹脂である（田端 2018：12）。人間でいえば、血液が凝固し、体表に付けられた傷を塞ぐようなものである。漆掻き職人は、漆掻鎌という特殊な刃物（漆の大産地である浄法寺では漆鉋《うるしがんな》と呼ばれる）で幹に傷をつけることで、漆樹から漆を導き出す（図4-1）。

このやり取りには漆樹の生態に応じたリズムがあり、そのリズムは季節や気候のリズムのなかに織り込まれている。山の木々が花を咲かせる六月中旬頃、漆掻き職人は漆樹に初めの傷をつけて廻る。この作業を「目立て」という。そして、この先漆掻き職人は「目立て」の傷を起点に、二辺目、三辺目と上方に向かって等間隔に傷を増やしていくことになる（「辺掻き」、根本に一番近い最下部の「目立て」からは下方にも傷を増やしていく）。そのため、「目立て」は、今後幹のどの面から漆を採っていくのかを決定する重要な作業となる。「辺掻き」の傷は回数を重ねる毎に長さを増していくので、目立ての傷を起点にした掻き傷の一セットは逆三角形となる。この一セットは、決定した面の表裏に交互に配置されていく。ゆえに漆掻き職人は、一セットが枝の生え際や、痛みのある面を避けるように見通しを立て、「目立て」する位置を決定していく。つまり、「目立て」の位置は、漆樹それぞれの生えぶりからアフォードされるため、そのアフォーダンスをいかに読むのかが漆掻き職人の重要な技能の一つである。

漆掻き職人は、その年に仕事をするフィールドを四つのブロック（一日山〜四日山）に分け、五日ごとに一ブロックを訪れて「辺掻き」を行う。このサイクルは、漆樹が漆を再生産するサイクルに根ざしている。「目立て」の傷は、漆樹に刺激を与え、その内部で漆を生成させるきっかけとなる。ゆえに秩父では「目立て」のことを「呼び出し」という（姫田 2012：58）。「目立て」の刺激によって漆樹が漆をつくりはじめる二辺目（「上げ山」とも呼ばれる）、三辺目の「辺掻き」は、細心の注意を払い、傷口に触れてはならない。この段階で、傷口から滲み出してくるのは、木水（生水とも呼ばれる）であって漆ではないのだ。そして、この段階で刺激を与えすぎたり、傷口を掻いてしまったりすると漆樹が弱ってしまう。漆掻き職人の砂森（姫田同：59）は言う。

> 漆は自分の傷を癒すために、そこに漆を送って来る。最初から採られてしまったら癒す意欲を失うんではないのか！

漆掻き職人は、漆樹のリアクションに常に耳を傾けなければならない。漆樹は、もともと内部に漆を溜めた袋ではなく、漆掻き職人とのやり取りのなかで徐々に漆を分泌する状態へと成っていく。このプロセスを漆掻き職人の大森俊三は、「うるしになる」（大森 2007：81）ということばで説明する。三辺目以降は、漆掻鎌で抉った傷口のなかを、さらに鎌の裏側に着いた鋭利な刃（「目刺」）で刺激する。形成層が傷付くことで、通常の樹脂道の他に傷害樹脂道なるものが、内樹皮の形成層外側に形成されるのである（田端 2018：12-13）。さらに、傷が形成層の内側の辺材にまで達することによってそこから木部樹液が流出し、樹脂道で生成された樹脂とともに傷口から滲み出る（田畑 2020：11）。これが漆の正体ある。樹勢のよい漆樹になると傷を付けると同時に「ブシュッ」と漆液が溢れ出す音が聞こえる。

一日のなかにも漆樹の生理に基づいた作業リズムがある。日の出の直前、漆樹の細胞の膨張圧が最高値に達する。日中の強い日差しによって膨張圧は下がっていくが、夕方下草にも露がつきはじめる頃、膨張圧も再度上がり始める（姫田 2012：66）。ゆえに漆が多く分泌されるのは早朝と夕刻であり、それに合わせて漆掻き職人の一日の作業リズムが決まるのである。

漆は、一シーズンのどの時期で採れたのかによって、初辺（四～七辺前後）で採れる初漆、盛辺（八～十五辺前後）で採れる盛漆、末辺（十六～二十辺前後）で採れる末漆（遅漆）、裏目漆と呼ばれ、それぞれ硬化速度、艶、粘度が大きく異なる。たとえば初漆は水分量が多いため硬化が早く、末漆は肉もちがいいため塗膜に厚みがでるといった特徴がある。そのなかで、艶や硬化した際の透明度が良く、漆器の塗面の肌理に寄与する盛漆が最も高品質とされるが、この盛漆がお盆の頃に採れるように漆掻き職人は漆樹の状態を導いていく。

「辺掻き」の際は、漆掻鎌で抉った傷口から徐々に溢れ出してくる漆を掻箆で掻き取るのであるが、その際の傷の長さや深さも、幹の太さや漆の出具合といった漆樹の個体差、天候や気温との関係から調整しなければならない。辺材にまで大きく傷をつけてしまうと漆樹が弱ってしまう。ゆえに低温が続くときや、逆に雨が降らず高温が続くときは、「目刺」を控えめにし、漆樹に過度のストレスをかけないようにしなければならない（姉帯・竹内・田端：129）。例外として、初辺の最後からシーズン最盛期の盛辺では、漆掻鎌で抉った傷口全体を、端から端まで目刺しで切り込み強い刺激を与えることもある。漆樹の状態に従いつつこれらの調整を行うのも、漆掻き職人の重要な技能なのである。そして彼らが掻箆で漆を掻き取る身ぶりは、とてもリズミックである。姫田（同：64）は言う。

> スポーン、スポーンと、シナノキの皮で作られた壺のフチに当たるヘラの音も快くあたりに響きます。それはすべて手首の仕事で、力を入れすぎたヘラの扱いをすれば漆はねばっこく、木も弱ってしまいます。

このリズムは、漆樹が漆を分泌する速度に導かれているのである。大森（2007：79）は言う。

流れてくるうるしをカキタルに移すのも、自分の思うままでなくて、つけたキズに合わせて、流れてくる速度に合わせて自然に移すのさ。うるしが流れて落ちる数秒が勝負だから、リズムにあわせてヘラで入れるのよ。

漆の性質は、採取時の天候だけでなくその土地の風土、土質、立地条件などによっても左右される。しかし、それ以上に漆掻き職人の身体の運びが、それぞれの漆に大きな差異を生むのである。ゆえに、年によって異なる場所の漆樹から漆を採取する漆掻き職人ではあるが、職人一人々々毎に彼らが掻く漆には肌理や粘度、色などの個性が生まれる。その個性を漆屋は見極め、漆を買い付けるわけである。

漆掻き職人が漆樹から導き出した漆を精製することによって、「上塗り」に使用できるような漆が生まれる。精製には、漆を攪拌し、粒子を細かく均一にするナヤシと、日光やその他の熱源に当てることで水分を二〇～三〇%から二～三%まで除去するクロメがある（四柳 2016：20-21）。漆屋あるいは自身で漆の精製を行う塗師は、このプロセスにおいて、塗上がり硬化した塗面の粒子状の肌理、艶、奥行き等を予測しながら作業を進める（図4-2）。手で櫂を回すことで攪拌する昔ながらのやり方では、櫂の形状や、それを回すリズムによっても、漆の肌理や艶が変化する。そして、ここでも、漆屋あるいは塗師は、攪拌され渦巻く漆液の色や泡の透明度、櫂に持ち上げられ落ちる際の音、漆液のなかを潜り抜ける櫂の抵抗を動きのなかで知覚す

図4-1　浄法寺で漆を掻く砂子田宏雅氏（著者撮影）

図4-2　天日でクロメを行う辻田哲夫氏（(有）辻田漆店 提供）

ることよって、漆がクロメ上がるその瞬間を摑む（赤木 2012：134-137）。塗師の赤木明登（2012：136）は、熟練の漆屋である辻田哲夫が、クロメを行う最中の様子を描写する。

> ほんの数センチ流れる漆の表面で、透明な部分と白濁した部分とが分離する、その一瞬垣間見ることのできる移ろい。茶褐色半透明の液体の上に浮いている微細な泡が流れ落ちる瞬間に現れる極小の白い泡の筋が作り出す縞模様の波瀾。辻田さんは、その縞と縞の間隔が、水分量とどのような相関関係を結んでいるかを経験的に知ってい[る。]

塗師は、このようにして精製された漆という素材の特性を注意深く見極め、それに従いながら作業を進める。同じ漆でも、季節や作業場の気温、湿度によって、粘度や硬化の速度が変化するからである。しかし、漆から漆が精製されただけでは、漆器をつくることはできない。たとえば塗椀をつくる場合、それ以前に、木目（grain）に従いながら椀型師が木地の荒型を生の材木から取り出し、椀木地師が轆轤《ろくろ》でその荒型から木地を挽かなくてはならない。そして、その木地の癖に合わせて、塗師は生漆と木屑、糊の混合物である刻苧《こくそ》で木地の節や欠損箇所を埋める。木地の癖は、木地のもととなった材木を採った樹の成長のプロセスに由来する、樹とそれが生きた周囲の環境との格闘の痕跡である。木地師や塗師は、その痕跡に沿って身体を運んでいく。その後、いくつかの工程を挟んで、いよいよ、漆と鉱物の粉末*の混合物を使った下地作業に入るわけであるが、ここまでの作業はすべて、木材の薄板から塗師自らが小刀で削り出した篦《へら》を使って行う。この篦は、インゴルドの用語を借りれば、素材と身体、つまり下地と塗師のあいだを繋ぎ、塗師の手の身ぶりを、器の表面に延び広がり定着する下地の流れへと変換する「変換装置（transducer）」（インゴルド 2017：211）である。変換装置として篦の長さや幅、角度、厚さ、柔らかさは、下地をつける面のカーブや、下地の硬さ、どの程度の厚さで付けたいかによって調整される。そして、手の弾力や手首の角度やジョイントの柔らかさ、下地の硬さの感じ方や、身体の運びも塗師によって個人差があるため、同じ作業を行う場合でも、篦の仕上げは千差万別である。変換装置は、その両極、つまり、素材とつくり手の身体との両側から調整され、その可能性は無限である。誰にとっても使いやすい道具などは存在しない。ゆえに、塗師が初めに覚えるのは篦づくりであり、塗師の技量はどれだけ巧く篦をつくれるかによって測られる（小野寺 2007：131）。塗師たちの箴言「篦立て十年塗り八年」からも、変換装置をつくる技能がいかに最重要視されているかがうかがえる。下地のプロセスで、作業が上手くいっているときの感覚を塗師の古野陽子は、「篦付けが自分に成る」ということばで説明する。余談になるが、木地師が初めに覚える仕事も、木地轆轤に固定された荒型と自身の身体を繋ぎ、身体の動きを椀木地のかたちへと変換する鉋を、鉄棒を打ってつくることである。

＊粘板岩や頁岩の粉末である砥之粉（京都）、焼成した珪藻土の粉末である地の子（輪島）、川砂（静岡）、泥岩の粉末であるクチャ（沖縄）など産地によって異なる。

中塗りとその周辺工程を挟んで、いよいよ上塗りである。上塗りにおいて、塗面から刷毛が離れた直後、刷毛を媒介した塗師の身ぶりの軌跡である刷毛目が、漆の表面張力によって引いたときに漆が見せる肌理は〈漆の貌〉と呼ばれる（赤木 2005：286）。塗師は、塗り上げた塗面が見せる〈貌〉と、それが硬化した後に生まれる肌理の相関関係を経験的に知っている。「多様な漆世界から、自分の目指す漆の〈貌〉をどうやって見付けるかが、〈上塗職人〉最大の技量」（同）である。そして、自身の目指す〈貌〉を導き出すために、塗師は、漆の精製や調合だけでなく、上塗りをする塗師にとっての変換装置、つまり自身の身体と漆液を繋ぐ「刷毛の幅、厚さ、毛足の長さ、毛先の角度などを調整していく」（同：324）。上塗りの工程は、ひたすら漆という素材に従うことで進んでいく。塗師の山本英明（2002：97）は言う。

〈上〉では、うるしに従わなければいかん。うるしが人間に指図をする。その小さな声を聞き取って、うるしの言い分を通してやる。これが塗師屋の仕事の本質なのや。

〈上〉というのは、大抵の場合、下地仕事を行う作業場の下階に対し、上階にある上塗り場のことを指す。つまり、〈下〉で行う上塗りより前の工程は、基本的には素材に従わなくてはならないが、作業の進行は塗師自身のリズムやペースで進めることができる。しかし、上塗りに関しては、漆の変化のリズムに対して、ヒトが完全に従わなくてはならないのである。上塗りにおいて漆に向き合う態度を、山本は「うるしに馴染む」「うるしとともに生きる」（同：97）と表現する。

このような、素材と周辺技術者との数限りないやり取りから生まれた塗椀は、製品として使い手に渡った後も、生成変化を止めるわけではない。使い始めた塗椀の表面は、食品の水分や油分、手の脂を吸収しむらになる。それをさらに使い込んでいくと、全体が艶を増し徐々に底光りしてくるのである。木や漆液がかたちを結んだ塗椀は、使い手とともに新たな成長のプロセスへと進んでいく。山本（同：121）は言う。

> 手のあとがつくというのは、おらの漆器の塗装の最後の仕上げ過程や。道具を自分に馴染むように仕上げるのはお客さん自身や。小刀でもはさみでも、住む家かて同じこと。大事に手入れをして馴染む部屋にするのは大工さんの仕事ではなくて、住む人なのや。だから漆器も同じこと。

使い手の日々の暮らしのなかで、漆椀は高温のご飯や羹《あつもの》を入れられ、それらを掬い取ったり掻き込んだりする箸や匙で擦られ、湯で洗っては拭き清められる。その繰り返しのなかで塗椀の表面は徐々に摩滅していき、その一部は食べ物と一緒に使い手の体内に取り込まれていく。ゆえに、安代漆工技術研究センターで長年塗師の育成にあたる冨士原文隆は「漆器は食べ物」

という話をする。

驚くべきことに日本には、この摩滅のプロセスで生まれた表面の景色を「根来《ねごろ》」として賞玩する文化さえある。日本では中世になると、それまで禁色であった赤色の塗椀が、寺院や武家の食卓にも浸透してくる。しかし、依然として漆液や朱（辰砂）は最高級の原材料であったため、上塗りの最後の一層にだけ朱漆が塗られていた。この朱漆の層が、度重なる使用によって徐々に摩滅していく。そうして中塗りの黒漆が、朱色の地のなかに偶然の模様として顔を出すのである。豊臣秀吉の紀州攻めで灰燼と帰したことで有名な根来寺は、このような中世の朱漆器が生産されていたことで有名であったため、摩滅の痕跡を有した朱漆器は「根来」と総称されている。

ここまで見てきた漆工の例は、極端なものに思われるかもしれない。しかし、陶工が轆轤を通して土に従うことなしに、金工が鎚を通して地金に従うことなしに、画家が、絵筆を通して紙や顔料に従うことなしに、なにかをつくることはできない。しかし、従うことは、世界の流動に対して盲目的に従属することではない。インゴルドは「従うこと」が、受動的というよりは、むしろ能動的なことであることを、獲物の痕跡を辿る猟師を例に説明する。つまり、「野道をたどる猟師は、常に全感覚器官を働かせて環境の変化に目を光らせ、進路を調整しなければならない」（インゴルド 2021：502）。漆工においても、塗師にはおおよその目指す〈漆の貌〉があり、身体を研ぎ澄ませ流動する漆の状態を探りながら、次に繰り出す身ぶりに向かって進み続けなければならない。そして、少しずつ進展する作業のなかで素材とともに進み続けることは、一見同じ身ぶりの繰り返しに見えて、決して単なる反復ではない。たとえば、鍛金職人の鎚の一打ちを、塗師の刷毛の一塗りを、一ストロークと考えるならば、それぞれのストロークは千姿万態であり一つとして同じものはないことが分かる。インゴルド（同：496-497）はこのことを、鋸で板を切る大工を例に説明する。

> 板を挽くことは、散歩に出るようなものだ。……その一歩一歩は、一歩前までの歩行の展開であると同時に、次なる一歩に向けた予期的調整である。……歩行の一歩一歩がまったく同一ではありえないように、ノコギリを挽く動きは毎回微妙に異なる。……自分の仕事に通じている職人とは、適うべき多重の変化の流れを、それらが互いに矛盾しないように導くことができる者である。このことは、仕事の進行に絶え間ない調整を必要とする。ゆえに、ノコギリのひと挽きひと挽きが異なるのである。そして、ノコギリを挽くことはリズムを伴うことになる。

刻々と変化する素材とともに順方向に進み続けることが、つくることの創造性である。インゴルドは、最終的な生産物、つまり結果から、作者の意図を推理するような芸術研究の風潮を「創造性（creativity）を『逆方向に』読み解く傾向」と批判し、「創造性を『順方向に』捉えること」（インゴルド 2021：494-495）の重要性を唱えた。それは即興（improvisation）に焦点を合わせることを伴う。インゴルドのいう即興とは、ある程度の道筋を思いうかべながらも、絶え間なく変化する素材の流れに応えながら、自身がつくりつつあるモノとともに前へ進み続けることである。その前進は「終点から始動点へと過去の因果の連鎖を再生すること」（同：495）ではなく、ケージの音楽のように常に「開かれた状態」にある。「開かれた状態」を実現する芸術家の役割は、「事前に心のうちに抱いたアイデアを施行するということではなくて……当の作品のかたちをあらしめている素材の力と流動に合体し、それに随うことにある」（同）。この流れは、作品が芸術家の手を離れた後でも変わることはない。芸術作品を見る者がすべきことは、芸術家と素材とがともに前進した流れの痕跡を辿ることである。インゴルド（同）は言う。

> 作品はそれを観る者を芸術家の旅の道連れとするように招く。観る者は、作品が世界に現れるさまを、作品とともに見るのであり、作品という最終形をもたらすことになった元来の意図をその背後に読み解くのではない。

芸術作品には後から様々な意味が付加されることもあるだろう。そのような、意味付けの誘惑に囚われて、人々は創造性を「逆方向」へ読み取ろうとする。たとえば、ある社会的背景が、ある心理的動機づけがその作品を創造させたのであり、今目の前にある作品はそれらの帰結であると。しかし「開かれた状態」にある芸術は、その意味付けの鎖を断ち切り、再び世界のなかへと展開していく強度を持っている。

ここまで示してきた、生成変化する世界のなかでの素材とつくり手との相互生成的な関係は、どのように描くことができるだろうか。インゴルドは、この関係を文通、調和、対応、一致などの意味を持つ、照応（correspondence）ということばで説明する（インゴルド 2017：216）。照応は、従来、二者間の関係を表すために使われてきた相互作用（interaction）の対極にあることばである。相互作用は、接頭辞 inter-（相互に）が示す通り、既定の点と点との双方向的な関係である。この関係が結ぶラインは、インゴルドが繰り返し批判してきた「点と点をつなぐ連結器（point-to-point connectors）」（インゴルド 2014：122）である。相互作用において、直線的に連結された既定の点と化すことで、つくり手は、素材と対峙する主体になり、素材は、つくり手と対峙する対象物となってしまう。素材とつくり手は、交互に作用を及ぼし合っているわけではなく、ともに同じ道筋を前進しているのである。照応において、素材とつくり手は「対位法の旋律のように互いに絡まり合う線を描く」（インゴルド 2017：221）。インゴルド（同：223）は言う。

> 世界と応答［＝照応］することは、それを描写することでもなければ、表現することでも

ない。むしろ、それに応えることである。……世界とコレスポンド［=照応］することは、あるひとの感覚的な意識と、生気にあふれた命の流れやほとばしりが混ざり合うことである。このような結合では感覚と素材が互いに結びつき、撚り合わさって、……お互いの区別がつかなくなってしまう。

塗師は、刷毛を通して漆という素材と照応しており、演奏者は楽器を通して音と照応している。相互作用が何かと何かとの相互間（between）で起きていると想定されるのに対して、照応が起こっているのはあいだ（in-between）の領域である（Ingold 2015：147）。インゴルド（同）は両者の違いについて言う。

相互間（between）は、二つの末端を持っているが、あいだ（in-between）はそうではない。相互間におけるどんな動きも……ここからそこへ、初期状態から最終状態へのものに過ぎない。しかし、あいだにおいては、動きは主であり進行している。相互間は閾的（liminal）であるが、あいだは動脈のよう（arterial）であり、相互間は中間物（intermediate）であるが、あいだは流れの中程（midstream）である。

相互作用の inter- に対し、照応は mid-（中間の）で示される領域で起きている。そして、このような他者やモノと混ざり合い一つになるような感覚は子どもの頃に誰しも体験したことがあるだろう。『平凡』(1907)は、二葉亭四迷が死の直前に書いた私小説的な作品である。この小説のなかで二葉亭は、幼少期の愛犬ポチとの思い出を描いている。わたし(主人公)とポチが戯れるとき、ポチは犬でなくなり、わたしは人間ではなくなる。わたしとポチは「とにかく互いの熱情熱愛に、人畜の差別を撥無にして、渾然として一如となる」(二葉亭 1907：30)。インゴルドが、相互作用と照応ということばで示した差異は、ケージのいうコミュニケーションと会話の差異と同じものであるだろう。ケージ(1982：145)は言う。

伝達《［コミュニケーション］》というのは、伝え合わなければならないなにかが、対象物《オブジェ》があるということを前提にしている。私が考えている会話は、対象物《オブジェ》に基づくようなものではないんです。伝達するということは、常になにかを押しつけることです……ところで会話の中では、押しつけられるものはなにもない。

コミュニケーションは、他者に対して、対象物ついての真理や感情を押し付けるが、ケージのいう会話は、既定の対象物に帰着することを回避し、「開かれた状態」つまり、プロセスとして展開し続ける。

3　世界の動きを辿る

最終的な生産物をつくることが、合目的的な行為であるなら、プロセスとしての芸術は、常に世界あるいは、世界の顕れである素材との照応における身ぶりの連続である。特に、身ぶりの芸術と言われるのが書である。インゴルド（2014）は、書を、自然のあらゆる運動とリズムの原理を観察し、筆法によってそれを伝達する「リズミックな運動の芸術」（Yen 2005）と定義するユエ・ピン・エンを引きながら、書が身ぶりの痕跡であることを説明する。インゴルド（2014：204）は言う。

> 一つひとつのラインは筆をもつ手の微妙な動作、すなわち周囲の世界のさまざまな運動を書家が綿密に観察することから生まれる身ぶりの軌跡である。

書家は、周囲の世界を観察することで、そのなかにさまざまな運動を発見する。世界の運動は、書家の身体と共振し、そこから新たな身ぶりが生まれる。その身ぶりは、筆が紙の上を辿った痕跡として、再び世界の側に刻まれる。ここでは、書家が周囲の世界を観察することと、世界に対して身ぶりの痕跡を残すことが、表裏一体の関係にある。インゴルド（同：206）は続ける。

……彼らが表現しようと努めたものは、事物の形や輪郭ではなかった。彼らの目的は、世界のリズムや運動を彼らの身ぶりのうちに再生することであった。ユエ・ピン・エンが言うように、戦う蛇の攻撃や反撃から霊感を得た書のラインが実際に蛇に似ていると思うものはいないだろう。重要なのはラインが蛇のように動くことである。

書家たちが観察し、筆の動きのうちに再生するのは、世界のリズム、運動であり、物体のアウトラインや外形ではない。書家たちにとっての観察とは、西洋の科学者がするように、眼差す眼によって世界を対象化することではない。それは、世界のなかを動き回るモノゴトを、その動きとともに捉える瞥見する眼による観察である。そして、その動的な観察によって捉えられ、再生された筆法のラインも、世界のなかのモノゴトと同じように運動している。これは、身ぶりの痕跡としての書のラインが、世界の動きを顕現しているともいえる。ゆえに、文字を印す身ぶりのプロセスそのものから、世界の動きを観察することもできる。ピアニストで作曲家の高橋悠治（2004：45）は甲骨文字について言う。

文字を彫るという行為　そのプロセスから世界をよむ
それを彫る手のリズムと時間のなかに　世界の変化は顕れている

文字を彫るということは　世界を気づかうことだ

ここでは、観察の結果として身ぶりが導かれるのではなく、身ぶりのプロセスそのものが、世界を観察することとなる。文字を彫るという身ぶりにおいて、〈世界を観察すること〉と〈世界に痕跡を残すこと〉が相即を為す。ここで占い師は、亀甲や骨を通して世界と照応している。そして、音楽においても、〈世界の音を聴くこと〉と〈世界に声を放つこと〉は相即を為す。朝鮮やチベットでは、歌い手が滝の前で歌うという修業が行われていた。滝の前で歌う歌手を例に、高橋（同：39-40）は言う。

内側が空洞であるものだけが響く
からだ自体を共鳴器として　滝の音を写す
……
世界に深く入りこむのと　世界がからだ深く入ってくること
外側の響が内側のものであることはおなじだ

滝の音が、〈聴くこと〉を通して歌い手に巻き付く。その音は、分厚い轟音として歌い手の身体のなかに入り込んでくるが、実際には、それは無限の音の粒子がぶつかり合い飛び散る場である。そのざらつきを捉えることで、歌い手の身体のなかにリズムが生まれ、それと照応するように声が顕れる。融合において、滝の轟《とどろき》は歌い手の身体に深く入りこみ、分裂において、歌い手は自身の身体を離れ滝の轟のなかに拡散する。

インゴルドと同様に、書がプロセスの芸術であることを主張する日本の書家が、石川九楊である。彼は、書かれた書を見ることは、それが書かれたプロセスを辿ることであり、文字の外形として見ることは誤りであると繰り返し主張する。石川の書論における最も重要な概念が「筆蝕」である。石川（2009：36-38）は言う。

> 「筆蝕」は、点画以前の、書字の微粒子的律動である。……筆では、数千本から数万本の毛が、紙と接触して、一本一本いつも複雑微妙に動いている。これが書を書いているときの姿であり、筆蝕の元になるものである。この筆蝕に導かれて文は生まれる。

ここで石川が指摘するのは、〈文を書くこと〉即ち〈筆蝕すること〉という事実である。書家の身ぶりが、筆という変換装置によって筆蝕として紙の上に顕れる。書家と紙の照応の痕跡である筆蝕の前進が、そのまま文の連綿する運動として展開する。そこから、抜け落ちるのは、文字という単位である。一般的に、並列された文字が文を構成すると考えられるが、それは、印刷文字の普及によって現れた誤解に過ぎない、というのが石川の主張である（同：34）。筆蝕そして文とは、紙の上を走る筆の運動である。インゴルド（2014：207）は言う。

> 筆は幅が自在に変化する軌跡を生み出すだけでなく、どんな方向にも動いていくことができる。つまり書家は柔軟な筆先によって『筆を走らせる《ブレイ》』ことができる［。］

> 地図製作において、身ぶりの軌跡（trace of a gesture）が、点と点を繋ぐ連結器（point-to-point connectors）になったように、印刷技術によって、筆が走る運動のラインの軌跡は文字の並列として分断され、文は文字の連結と考えられるようになった。

そして、「筆蝕」という概念には、「筆」「触」「蝕」という三つの意味が内包されている。まず、「筆」は、「書かれたものとその書きぶり」（石川 2009：40）を表す。次に、「触」は、触覚に導かれた「筆尖と紙との両者間で展開される接触と摩擦と離脱との劇」（同）がもたらす筆跡である。そして最も重要なのが「蝕」である。石川（同）は言う。

> その触覚が、土を掘ることや金属を鑿《うが》ち石や木を刻《ほ》ること、つまり「蝕」に裏打ちされた触覚であるという深みをもつ。文学に対する「深みのある表現」「深刻」あるいは「深遠」「深慮」などの評語に秘められた深度への感覚が、書くことは考えることであり、書くことの原形が農耕にあり、また書くことが刻ること、つまり彫刻にほかならなかったかった

ことを暗示しているのである。

沿岸の居住者たちは、土を掘って土地を拡張し、農民は、土地を踏み固め、掘り起こし、自身のラインを刻みつけることで土地の肌理を織り上げる。そして、彫金工は鏨《たがね》によって金属と、石工や剞りもの師は鑿《のみ》によって石や木と照応し、その痕跡をそれらに刻みつける。「蝕」という語は、これらの痕跡が、紙の肌理、墨の粘り、数え切れない毛先の束である筆の撓りと、書家との照応の痕跡として顕れる筆蝕と同じであることを表している。さらに、「蝕」という字は、海蝕や侵蝕など「蝕むこと」を意味する。蝕とは風化（weathering）の働きであり、この風化が世界のなかの存在にざらつきや肌理をもたらす。つまり「蝕」とは、世界生成の働きであり、筆蝕のプロセスである書を書く身ぶりとは、世界の生成変化の動きそのものである。

4　身ぶりの痕跡と声のざらつき《グラン》

インゴルドが主張した「作品が世界に現れるさまを、作品とともに見る」という観る者の態度を的確に描いているのが、ロラン・バルトの芸術批評である。彼は、芸術についてのエッセイを数多く書いているが、その多くに通底するのが、自身が愛好する絵や音楽を身ぶり（gesture）として扱う態度である。サイ・トゥオンブリについてのエッセイのなかで、彼のドローイングが、よく書を引き合いに論じられることに言及したバルトは、トゥオンブリが書から取り入れたのは書の「生産物」つまり外形ではなく、その「身ぶり」であると指摘する。バルト（1986：87）は言う。

> 動作［＝身ぶり］とは何か。行為《アクト》のおまけのような何かである。行為は他動的である。単に、対象を、結果を出現させようとする。動作は、行為を大気圏（天文学的な意味で）で取り囲む動機、欲動、怠惰の無限定で、汲みつくすことのできない総和である。

バルトは、芸術を三つのレヴェルから分析する。一つ目は、情報を生み出そうとするメッセージ、二つ目は、理解作用を生み出そうとする記号、そして、三つ目が身ぶりである。身ぶりは、他の二つと異なり、必ずしも何かを生み出そうとはしない。しかし、他の二つが生み出すことのないすべて、つまり情報や理解作用の範疇から漏れ落ちる残滓を生み出すことができる。メッセージや記号は、受け手になにかを伝達する、読み手になにかを理解させるという具体的な目的を持っており、合目的的な行為によって生まれる。ゆえにその行為は、何らかのメッセージや記号として機能するために為される他動的なものである。それに対して身ぶりは、それそのものとして以外に振る舞うことはなく、それを知覚するヒトを意味作用の外側へと連れ出す。バルト（同：89-90）は言う。

> ……TW［＝トゥオンブリ］の表面には、書かれたものは何もない。しかし、この表面は書かれたものの一切の受け皿として現れる。……すべては、つねに、すでに、ざらざらし、裂け目があり、でこぼこし、点々と起伏がある。紙のざらつきがあり、次いで、汚れがあり、格子縞があり、線のからみ合いがあり、図があり、単語がある。……前面に出るのは……筆跡の織物の観念である。

地面が様々なモノを上に載せたフラットな表面ではなく、大気と大地のあいだで織り上げられていくように、紙は、書かれたものを上に乗せ、その地となるまっさらな表面ではない。イメージの描出に重きを置くような絵画は、紙の存在を後退させ、紙自体の肌理をなかったことにする。しかし、トゥオンブリのドローイングは、紙の上にではなく、紙のなかに織り込まれ、紙とともに表面の肌理そのものを構成する。そして、その表面は、多様な色彩の落ち葉が絡まり合った吹き寄せのように、汚れや格子、線、図、単語といった非同質的な要素の混成物である。混成物は、固定的な外形を持たず、対象物として凝固することはない。ただそこにあるのは、風に吹かれて今にも拡散しそうな素材の残滓、その残滓を擦り付けたトゥオンブリの身ぶりの痕跡である。バルト（同：92-93）は言う。

TWの作品は、現代画家の多くが選んだ態度とは逆に、動作《ジェスト》を示す。求められるのは、生産物を見、考え、味わうことではない。そこに至った運動を見直し、見定め、いってみれば《楽しむ》ことである。……それは、落ちる。細かな雨のように降る。草のようになびく。暇つぶしに引っ掻く。あたかも、時間を、時間の震えを可視化するかのように。

トゥオンブリのドローイングは、多くの絵画とは異なり、それを生産物として眺め、その背後に作者の意図を推論すること、つまり「創造性を『逆方向に』読み解くこと」を全く要求しない。画材や紙と彼の身体との照応のプロセスを痕跡として残したドローイングのラインは、輪郭を閉じたかたちに帰結することなく、「開かれた状態」で観る者を待ち構えている。それは、大気の動き（風化）がもたらすラインのように、細かな雨のように降り、風のなかの草のように靡《なび》く。そして、紙の表面に進展途中のままで留まるラインを辿ることで、観る者の身体は、トゥオンブリの身体と照応することもできる。開かれたラインは、未だ描かれていないラインを誘発していくのである。

バルトは、このエッセイを執筆中のある朝、トゥオンブリの画集をゆっくりと眺めている。ゆっくりというのは、バルトの視線の動きである。地形を辿り、道を探す徒歩旅行者の眼のように、その視線は、トゥオンブリのラインの進行を辿っていく。そして、彼はカードに落書きをはじめる。しかし、それは既に描かれたトゥオンブリのラインを模倣しているのではないのである。バルトが言う通り、そんなことをして何になるだろうか。バルト（同：103）は言う。

夢みるように、私が私の読みから導き出すトレーシングを模倣するのだ。私が模倣するのは生産物ではない。生産行為である。私は、いわば、手の足跡を辿るのである。

獣や他のヒトが踏み残した足跡を辿り、徒歩旅行者が自らの新しい歩行のラインを地面に縫い付けるように、バルトは、トゥオンブリの手の足跡を辿っていく。開かれたラインを辿ることで、それを辿るバルトの身体はいつの間にかそのラインを追い越し、世界のなかに新たなラインを走らせる。バルトが模倣するのは、トゥオンブリの身体との照応のなかで即興的に前へ前へと前進していく辿ること《トレーシング》そのものである。これが、インゴルドのいう「創造性を『順方向に』捉えること」であろう。バルトが生涯のなかで、気晴らしに書（描）くこと*を楽しんだであろう、クレヨンやフェルトペン、絵筆によるドローイングが残されており、そのうち四九点がパリの国立ジョルジュ・ポンピドゥー芸術文化センターに所蔵されている。

そして、身ぶりを示すトゥオンブリのドローイングにとって重要なのは、画材が素材そのも

＊バルト（1986：78）は、〈書くこと〉と〈描くこと〉が同一である〈かくこと〉（たとえば東洋の書の影響が見て取れる、トゥオンブリ、アンドレ・マソン、ベルナール・レキショ等の画法）を「セミオグラフィ」（semiography）と呼んだ。

のとして在ることである。画材は意図を実現するための部品ではない。ゆえに、観る者がそこに認めるのは、画家の意図が実現された最終的な生産物ではなく、画材の素材性そのものである。バルト（同：112-113）は言う。

> 絵の道具は道具ではない。出来事である。トゥオンブリは材料を何かに奉仕するものとしてではなく、栄光に包まれて顕現した絶対的な素材《マチエール》として前面に出してくる。……画家の創造主的な力は材料を素材《マチエール》として存在せしめることにある。たとえ意味がカンバスから生じようと、鉛筆や絵具は相変わらず《物》である。頑固な物質である。何も（後からつけ加わる意味も）《そこにある》ことへの固執性を取りのぞくことはできない。トゥオンブリの芸術は物を見せることにある。彼が描く物をではなく（これは別の問題だ）、彼が扱う物をである。

バルトは、トゥオンブリのドローイングと同じように、バリトン歌手シャルル・パンゼラの歌声や、ロベルト・シューマンのピアノ曲を好んだ。音楽に対する好みも、絵画と同じように、その身ぶりが生み出す残滓や、身体性のうちにある。トゥオンブリのドローイングを自らの身体で辿るように、バルトは、パンゼラの歌声や、シューマンのピアノ曲から身ぶりを導く。彼は二〇代前半にパンゼラの元に歌を習いに通っていたし、シューマンの《クライスレリアーナ》を好んで弾いた。

バルトは、歌う身体と、それを聴く身体との、あいだ（in-between）に顕れる残滓を「声のざらつき（Le Grain de la voix）」と呼んだ。正教会聖歌を歌うロシア人のバスを例に、バルト（1984：189）は言う。

> 鼻孔の奥から、筋肉から、粘膜から、軟骨から、あたかも演奏者の内部の肉と彼の歌う歌とを同じ皮膚が覆っているかのように、スラブ語の奥から、聴く者の耳に一度もたらされる、身体そのものであるような何かである。

声が振動し共鳴する歌い手の身体のざらつきそのものとして、聴く者の身体にもたらされる。それは、個人的ではないが個体的である（バルト同）。今田匡彦（2015：55-56）が強調するように、ざらつきは、トゥオンブリのドローイングに顕れた残滓と同様、メッセージや理解作用の外側にある。つまり、ざらつきをもたらす声は、内的主体の何ものをも表現していないゆえに個人的ではない。しかし、外ならぬその身体からもたらされたという意味で、個体的である。バルト（同：197）は言う。

> 《ざらつき*》とは、歌う声における、書く手における、演奏する肢体における身体である。

歌い手の粘膜は鼻孔の奥で音と、物書きの手は筆記具を変換装置に紙と、ピアニストの肢体はピアノを変換装置に音と、それぞれ照応している。バルトは、ピアノの演奏においても、間身体的に、作曲家と演奏者そして聴き手の身体を結ぶ、身ぶりの残滓を見出す。それは、まさしく演奏者の指が鍵盤を、そしてピアノという変換装置の内部でハンマーが弦を「打つ音」である。音楽のテクストは、前から後ろへと単線的に続いていくのではなく、音と身体が躍動する「絶えざるビッグ・バン」（同：239）である。バルトは、《クライスレリアーナ》を聴くあるいは弾くことで、自らの身体を打つシューマンの身体を、そして同時に打っている自らの〈この身体〉を聴く。バルト（同：241）は言う。

打つ音の（アナグラムの網目の）レベルで、聴衆は聞こえてくるものを演奏するのだ。だから、音楽のテクストの場というものがあって、そこでは、作曲家と演奏家と聴衆との間のいかなる区別も消滅するのである。打つ音の悦楽的な反復。これこそが、繰り返し歌われる歌の起源であろう。

＊本書では texture に「肌理」、grain に「ざらつき」という訳語をあてているため、『第三の意味』で「きめ」と訳されている grain を本書中ではざらつきと置き換えている。

打つ音のぴしめきが織りなす音楽のテクストの場で、作曲家、演奏者、そして聴き手の身体は、ビッグ・バンを起こし、音とともに拡散する。そして、この打つ音は無調音楽にも引き継がれる。バルトは、これまで西洋クラシック音楽にアクセントをつける機能を担っていた調性を引き継ぐ、別の体系を「音響性」と呼んだ。バルト（同：250）は言う。

《音響性》（響きの色彩の網目）は、身体が《打つ音》の富すべてを持つことを保障する（チリンチリンという音、すべる音、ぶつかる音、きらきらした音、うつろな音、分散する音、等々）。したがって、《打つ音》……こそが、音楽における超歴史的連続性をなしているのだ。

打つ音つまり音と照応する身ぶりの残滓こそが、意味の体系によって語られる西洋音楽の歴史性を飛び越え、音楽する無数の身体を貫いている。

第5章　エコロジカルな芸術実践

1　小さな音

サウンドアートと呼称される芸術領域には、最終的な生産物を提示しない、つまり対象物を生み出さない制作活動を行う芸術家が多くいる。「サウンドアート」とは、一九八〇年代半ばにカナダの作曲家のダン・ライナーが使いはじめたことばであるが（リクト 2010：15）、一般的に、非「楽音」を用いた芸術の台頭によって要請された、音を用いた芸術の総称とされる。サウンドアートの範疇に分類されるような制作活動を一九六〇年代から行い、その先駆者とされるのが、マックス・ニューハウスである。*

＊ニューハウス自身は、〈音〉という最低限の共通要素で様々な芸術を一括りにし、その差異を帳消しにするような「サウンドアート」という呼称を拒絶した。

田中直子（1986）は、日本庭園の音響装置である水琴窟との親和性を指摘することで、ニューハウスのサウンド・インスタレーション《Times Square》がプロセスの芸術であることを指摘する。水琴窟は、蹲踞《つくばい》や手水鉢から流れ出た排水が、地中に逆さに伏せて埋められた水瓶のなかに一滴ずつ流れ落ち、水瓶なかで反響した雫の音が地面のなかから聞こえてくる。《Times Square》は、マンハッタンのブロードウェイと七番アベニューが、四五番ストリートと四六番ストリートのあいだで交差する地点にある歩行者用安全島に、一九七七年から一九九二年までのあいだ設置されていた（その後二〇〇二年に再設置され現在に至る）。安全島にある地下鉄換気孔のなかに据え付けられた音響装置から、高次倍音を多く含んだコンピューターによる低周波合成音が、ドローン（持続音）として二四時間絶え間なく鳴り続けている。この合成音が織り成す肌理は、様々な音が渦巻く雑踏のなかを、地下からの換気流に乗って漂流する。

田中（同：129-134）は、両者の音の在り方に共通する四つの特徴を指摘する。

（一）芸術や芸道とは無縁な日常空間に仕掛けられている

（二）声高に自己主張することなく、それでいて周囲の音に埋没することもなく、その場その時にたまたま生じる音達に共振しながら、それらに対して開かれている

（三）それまでのきき方を転換していく

（四）きき手の音体験が、きく行為以外の行為、あるいは〈身体《からだ》〉と分かちがたく結びついて

いる

（一）について、前者は便所用の手洗いとして、日常の最も卑近な場所にも設置されている。後者はヒトの話し声、自動車の排気音やクラクション、パトカーのサイレン、店舗からの広告音楽など様々な音が溢れ犇《ひし》めき合う場所に設置されており、人々がそれぞれの目的を持って意図せずその場を往き交っている（図5-1）。

（二）について、両者とも音源が隠されており、はじめから一つの自律した音響作品として集中的に聴かれることを目的にされていない。前者は野外に設置されているため、周囲の庭の音（たとえば庭木の葉擦れや鳥の声）とともにあり、水瓶のなかで金属的に変換されているとはいえ、雫が滴り落ちる音はたいして珍しいわけでもない。たとえば夜道を歩いていると、道路脇の集水桝から配管のなかで反響した雫の音が聞こえてくることがある。後者も普段は大都市の騒音のなかに埋もれており、それらのなかからたまたま拾われるかもしれない程度の音である。

（三）について、前者は金属的に変換された雫の音が点描的に庭のなかに投げ込まれることによって、それを拾う耳の感度を瞬間的に研ぎ澄まし、それまで意識せずに看過していた庭木の葉擦れや鳥の声が明瞭に聞こえてきたりする。後者の微弱な合成音は、騒音にマスキングされているため、普段はそれとして意識されることがない。しかし、いざその微弱音を耳が捉え

図5-1　《Times Square》が設置されている歩行者安全島

てしまうと、それを聴くヒトの聴覚はその微弱さに合わせて感度を調整する。すると、それまでサイレンの音、クラクションの音など個別の騒音として聞き流されていた分厚い都市の轟が、波のようにそのヒトを覆いつくす（中川 2007：8）。

（四）について、これらの音を偶然知覚するヒトは、意図して音楽を聴いているときのように、音が自身のもとへやってくるのをじっと身構え待っているわけではない。音との出会いは、前者では屈む、蹲う、手を洗う、後者では歩く、誰かと話をする、携帯電話で通話する、植え込みに腰かける、キャラクターの着ぐるみの前で立ち止まるなどの日常の身ぶりのなかで起きている。これらの音が挿入されることによって僅かにずらされた日常の体験の性質を、田中（同：132）は〈異日常性〉と呼んだ。

周囲の音に対して開かれた音を挿入することによって……それまでのきき方を転換していく。きこえていなかった音が突然明瞭にきこえ出したり、テクスチュアの複雑さが浮き彫りにされたり……音ばかりでなく、普段何気なく眼にしていた風景さえ異なった色彩で見えてくる。瑣末な眺めを切り取って一枚の絵に見立てる額縁のように、仕掛けられた音が日常の位相をずらし、新たな日常を発見させる契機となる。これを日常の異化作用、あるいは異日常性の形成と呼んでおこう。

この〈異日常性〉こそが、日常の知覚の創造性である。世界のなかに挿入される微細な音は、それ自体として対象化されることなく、慣習的に対象物として看過されてきた日常の音響と混淆し、それを聴くヒトの知覚の焦点をわずかに異化し前進させることによって、日常の音響に再び生命を与える。

《Times Square》がそうであるように、サウンドアートと呼称される芸術領域には、音を通して知覚の在り方、つまり世界との関係を異化する、あるいは、音を通して世界の新たな相貌を探求していくような実践が多くある。とりわけ、そのような芸術実践を追及するのが、鈴木昭男とロルフ・ユリウスである。

鈴木は、もともと建築家を志しており、建築事務所に勤務していた。あるとき彼は、自身が担当する階段の設計図が、二線譜とそれを区切る小節線に見えた。芸術雑誌で見かけたジョン・ケージの影響から図形楽譜を知っていた彼は、階段を楽譜に見立て、上から何かをばら撒けば心地よいリズムが返ってくるのではないか、という思惑に捉われる。大概の人間はそのような思惑は思惑のまま忘れてしまうのだが、鈴木はそれを公共の階段で実践してしまう。一九六三年、彼は、名古屋駅の中央本線のプラットホームから地下に降りる階段の上から、缶詰めの空き缶やビンが入ったバケツをひっくり返し、ぶちまけた。ところが、彼の思惑に反して、聞こえてきたのは「ガラポシャン」という呆気ない音であった（中川 2007：86）。この、個人的な体験が、彼のサウンドアート的実践の始まりとなる。

　鈴木は、その後、日常環境のなかで直感的に思いついた身ぶりを実践し、その音響を聴く「自修イヴェント（Self-study Events）」を繰り返していく。自修イヴェントはその名の通り、鈴木の個人的な実践であり、パフォーマーも聴き手も彼自身である。階段のイヴェントが、歩道橋や市役所の階段など場所を変えて何回か実践された他、上京後には、駅員ごとに個人差がある各駅の切符切りの音を録音し、点在させたポータブルプレーヤーから順を追って再生する、騒音計に向かって大声を出す、ビルとビルの間で拾った石を打ち反響音を聴く、などの様々な自修イヴェントが実践された（同：90-92）。

　一九七〇年代から、鈴木は、サウンドアーティストとして、自作楽器「デ・コールメス」

「アナラポス」などを用いたパフォーマンスや、サウンド・インスタレーションを行うようになるが、世界に対する彼の態度は、自修イヴェントのそれとは何も変わっていない。作曲家の三宅榛名によるインタビューで、缶をガラガラ鳴らすことや、声を出すことといった、それぞれの身ぶりの意味は一つずつ異なるのか、という質問に鈴木（三宅 1982：108-109）は答える。

> 「音を出してみて」それからそれを聴く作業に入るんだけれども、返ってくる音を、体験としてもう一ぺん聴いてみる行為でしょう。声出すのもやっぱり反響が戻ってくるし、出してみなきゃわからないことがいっぱいあるわけですよね。それを皮膚を通して聴く。小さい時にはだれでもよくやったと思うんですよね。……大人になるともうわかったこととして忘れてしまうことがいっぱいあって、もっと広い世界がそういう中から摘み採れるんじゃないかなと。

世界のなかで様々な身ぶりを試し、その都度顕れる新たな世界の相貌を即興的に摘み取っていく。この、鈴木のすべての実践に通底する世界との照応を、彼自身は「投げかけとたどり」（中川 2007：95-96）と呼ぶ。世界に対して身ぶりを投げかけ、世界が反響する木霊を自らの身体で辿り確認していく。「自修イヴェント」、そして、その後の彼のサウンドアートは、常にこの繰り返しであり、世界を捉え直し続ける日々のエクササイズなのである。誰しも子どものころに体験していたであろう、何気ない世界との小さな照応を、鈴木は続けている。

鈴木のパフォーマンスは、常に即興的であり、事前に決まっているのは、はじめに素材をどの場所に設置するのかくらいである。鈴木（三宅 同：120）は、自身のパフォーマンスについて言う。

> やっている時は、素材を選んだということ自体が、ぼくの一応の構想なんですね。素材がいろんな可能性を含めているものですからね。環境と素材でどうそこでパフォーマンスを滞りなく済ませてしまうかということで、あちらの断面からこちらの断面から遊んでみるわけで、いろんな遊び方をし続ける。

その場その場の鈴木の身ぶりは、常に素材から導かれる。ゆえに、どのように動くかは、素材とともに前進するなかでその都度決定され、既定の進路は存在しない。鈴木の初期の実践は、自らが閃いた身ぶりを投げかけたとき、世界はどのような木霊を返してくるのだろうか、という関心に導かれていた。つまり、身ぶりあるいはそれに先立つアイデアが先行していた。しかし、一九八八年のあるイヴェントを転換点に、彼の関心は〈聴くこと〉の先行へとシフトすることとなる（中川 2007：104）。それは、《日向ぼっこの空間》というイヴェントである。

このイヴェントは、京都府網野町にある高天山の中腹で、事前にボランティアスタッフとともに造った二枚の並行する日干し煉瓦の壁のあいだに独りで座し、日の出から日没までの十二時間、周囲の音に耳を澄ますというものである。鈴木は、この時の体験を、中川（2007：86-87：99-102）によるインタビューのなかで語っている。企画段階で鈴木は、「一日の自然音をドラマチックに聴きたい」（同：86）と思案していた。しかし、いざイヴェントをはじめると、〈聴くこと〉を意識するあまり、「ヒバリが鳴いている」「風が吹いて木がざわざわいっている」などと音を音源に帰属させ、対象化してしまっていることに気づく。視覚も聴覚と同じように働き、目の前の壁の肌理が、ヒトの顔に見えはじめる。いわゆるパレイドリア現象である。ここで彼は、「何も聴いちゃいけないこと」（同：87）、つまり音を対象として捉えてはいけないことを発見する。だが、音を名指したいという雑念を消し去ろうとすればするほど、雑念を消し去ろうとしている自己に縛られることになる。音環境全体を聴こうとするあまり、全く音が聴けなくなってしまったのである。この状態が午前いっぱい続くが、正午を知らせる漁港のサイレンが聞こえたのを境に、彼は集中しなければならないという強迫観念から解放される。午後には、集中を放棄してリラックスするようにした。すると、スウィフトの『ガリバー旅行記』に登場するガリバーの身体が巨大化するように、彼の耳は周囲の音環境へと展開していった。全身が耳になったのである。耳が世界に広がったことで、「山を越えて向こうの方を走る車の小石を跳ねる音がツブツブになって聞こえてきた」（同：102）という。デカルト的主体のように知覚する自己に捉われることを放棄することで、彼の存在は小石の跳ねる音のざらつきのなかに拡散していく。逆に言えば、その音のなかに自分がいるという体験である。

この体験が、後の〈聴くこと〉を中心としたパフォーマンスやインスタレーションに繋がっていく。中川（同：114）によれば、これらのパフォーマンスやインスタレーションは、若き日の自修イヴェントで実践されたアイデアが、「感じることのできる営みとして再提示された」ものである。たとえば、自修イヴェント「小川をたずねる」がもとになった、一九九五年の「京都国際現代音楽フォーラム―耳・住む・澄ます MAKE UP」でのインスタレーションがある。鈴木は、白川の川底に、鉄筋製のコイルを五〇〇メートルに渡って設置する。川の流れが、コイルの鉄筋とぶつかり、細く枝分かれしながらそのあいだを通り抜けることで、せせらぎが増幅される。コイルによって微細に異化されたせせらぎの肌理が、それを聴くヒトの聴覚を微かに異化していくのである。

また、自修イヴェント「エコー・ポイントを探る」は、《点音《おとだて》》として再提示されている。《点音》とは、茶道の「野点」に掛けたパブリック・アートであり、ベルリンやフランスのアンギャン・レ・バン、後には日本各地で実践されている。鈴木は、その街のなかをフィールドワークし、残響によって周囲の音を聴くのに好適な地点を探し回る。そしてその地面に、二つの耳にも両足の足型にも見える架空の道路標識〈オトダテ・ステップ〉を型押しする。街で暮らす人々は、ふと立ち止まり、〈オトダテ・ステップ〉に自らの足を重ねることで、鈴木が見つけたエコー・ポイントの響きを追体験することができる。一九九七年、アンギャン・レ・

バンで地元の民間芸術団体「イン・シツ（in situ）」に招聘された鈴木は、翌年のビエンナーレのために、街中の〈オトダテ・ステップ〉の他に、湖畔に設置される〈オトダテ・ステップ〉の回りを二枚の円くカーブした壁でアーモンド型に囲った〈オトダテ・ルーム〉を企画した。これは、街の音と湖面を伝わる湖の音がちょうどぶつかるポイントに設置され、壁に閉じられた空間のなかでその音に耳を澄ますことが想定されている。「イン・シツ」のキュレーターであるカトリーヌ・グルー（2000：85-86）は〈オトダテ・ルーム〉での自身の体験を次のように記述する。

> はじめてわたしが〈オトダテ・ルーム〉のなかに入ったとき、わたしは風の音、いや、同一化し名前を与えることのできないような風の音を聞いた。つまり、わたしはただ風の到来、その音の「オトズレ」を聞いたのだ。音はそこでは始まりも終わりもない開かれた出来事であった。それは、わたしの周りにありながら、同時に、遠い水の上にもあって、無数の方向に開かれていたのである。風は運動であり、そして風とともにわたしもまた運動であった。

グルー自身が語るように、彼女はメルロ＝ポンティの纏綿[*]、インゴルドなら融合／分反応というだろう事態を経験したのである。《日向ぼっこの空間》で鈴木が跳ね上がった小石の音のなかに拡散していったように、グルーは自身の身体から離れ、風の音のなかに散り散りになった。彼女は風とともにあらゆるところに存在している。

もう一人のサウンドアーティスト、ユリウスは、もともと写真家であった。彼が、自らの制作活動に音を取り入れるきっかけとなったのが、後に《Dike Line》と名付けられる、一九七八年のインスタレーションである。このインスタレーションでは、堤防の曲線を撮った六枚の写真が壁に展示され、近くに置かれたスピーカーから音が流されていた。音は、まばらな間隔で鉄の棒で鉄の物体を打つ「ティッティッ」という音の録音と、それをさらに別のテープにコピーしたもので、両者をステレオにして左右のチャンネルから流す。コピーされた音は、安物のテープを使ったため、僅かに歪み、異化されている。つまり左右それぞれから流れる音には、僅かにズレが生じている。このインスタレーションの現場で、ユリウスは、思いがけない体験をすることになった。リラックスした状態でその場にいると、微妙にズレながら絡み合う二つの鉄を打つ音のリズムと照応するかのように、写真のなかの堤防のラインが、上下に踊るように動き出したのである（中川 2007：40）。この個人的な体験が、「音楽の surface（表面、表層）を視る」（同 2007：41）をコンセプトとした彼のサウンドアートに繋がっていく。

たとえば、ユリウスのインスタレーションには、粉状の顔料を載せたスピーカーから自然音

＊グルーは empiètement の語を選んでいる。

の録音を加工した小さな音を流すシリーズがある。音に震えよってスピーカーの上の顔料が飛び跳ね、顔料の表面は絶え間なく変化していく。音と顔料の表面は、一つの肌理の震えとして流動し、それを知覚するヒトは、そのあるがままの振る舞いをただ辿るだけである。ユリウスは、素材のために音楽をつくる。たとえば、砂とともに置かれたスピーカーから砂のような肌理を持つ音が流れるインスタレーションについて、ユリウス（同：44）は言う。

> 私は砂のために音楽をつくります。砂や石やゴミなどを部屋の片隅に小さなスピーカーとともに置きます。そこからは砂のようなサーフェスをもった音楽が流れます。音が砂のようなサーフェスを持っているのです。そしてあなたは音に触れることができる。

ユリウスが自らの実践において重視するキーワードの一つが「表面（surface）」である。パフォーマンスにおいても、彼はひたすら音の表面に留まり続ける。ゆえに、彼が扱うモノの素材や音素材はとても小さく、彼は自身の音楽を「小さな音楽（small music）」と呼ぶ。中川（同：61）は言う。

> 彼のパフォーマンスでは、初めは何のことかさっぱりわからない。伝わってこないのだ。何かごそごそしている。やがて、ダイナミックレンジがかなり小さな音に集中しているの

に気づく。そのとき私たちの耳も集中する。基本的に大きな音がしないため、聴き手はどんどん近寄っていく。そうすると、とても細かいさまざまな音の肌触り、肌理《きめ》のようなものを聴くことになる。そういった、肌理あるいは音の表面に接触する知覚を彼は求めている。

ユリウスの素材のために音楽をつくるという姿勢は、大掛かりな野外インスタレーションにおいても変わらない。たとえば、二〇〇〇年に大阪府豊能町の森をフィールドとした《Valley》というインスタレーションがある。ユリウスは、このインスタレーションを設置していくときの経緯を、中川によるインタビューで語っている（同：36-39）。《Valley》の中心的な場所は、文字通り、森のなかの谷沿いの小池であるが、その小池には、水面間際まで木が倒れ掛かっていた。ユリウスには、その木の影が、水面に描かれたドローイングのように見えた。これにインスピレーションを受けたユリウスは、その静まり返った小池に、音によるドローイングを試みる。小池にもたれる木の先端に、スピーカーを入れた植木鉢を吊り下げ「カッカッ」という音を水面に向かって放つ。柔らかく水面にぶつかった音が、静寂のなかを反響していく。この野外インスタレーションについても、ユリウスは、「この作品は、谷のためにもつくったんですよ。谷もこれを聴いているから」（同：38）と言う。彼にとって、谷は、表現したり描写したりする対象でもなければ、自身の作品を遂行するための舞台でもない。屋内でのパフォーマンスが、素材とともに進行するように、野外では、その場の環境とともにインスタレーションを行っていく。ユリウス（同：50-52）は言う。

> 私の作品でいいますと、音響素材もまた自然に属しています。たとえ私がつくったとしてもね。音楽は何がしかオープンでなければなりません。つまり、外からの影響にオープンであるべきだと思うのです。……状況に対してオープンであること、すると何かが起こるのです。状況（自然）がオープン、私もオープン。そこによい組み合わせができる。自然の音に、私自身のつくった音あるいは音楽を混ぜます。

そして、小池に向けて放たれる「カッカッ」という音素材は、ユリウス自身の過去の音の体験から導かれている。彼は、来日時に訪れた後楽園で、偶然飛来した鶴の「クワッ」という鳴き声を聞く。その瞬間、彼は、その場が満たされたと感じ、同時にその場には絶えず何らかの欠落があることに気が付いた（同：38-39）。これが《Valley》で水面にドローイングされる音のもととなったのである。

《Valley》でのもう一つの試みは、谷と向かい合う森で、樹木の高所の枝から八つのスピーカーを吊り下げ、谷とは対照的なアクティブな音の場をつくったことである。この試みによって、森と谷とのあいだに非常にクリアな音響的距離感を生みだすことができる。この距離感こそが、ユリウスの実践におけるもう一つのキーワード「ディスタンス（distance）」である。このディスタンスという概念は、彼のブラジル熱帯雨林での音体験から導かれている。ユリウス（同：74）は言う。

音響状態が非常にクリアで、遥か遠くの音だって聴き取れました。すべての音にディスタンスがありました。音のボリュームのほとんどが同じなのに、ディスタンスによって質の異なる音。私は空間という言葉を忘れていました。

ユリウスが「空気がある」（同：73）と説明するように、ディスタンスとは、媒質に満たされた場であり、物理的な距離ではない。それは、ここと あそこの相互間（between）の隔たりではなく、音がそのなかを飛び交うあいだ（in-between）である。ディスタンスの中間のどこかに音が知覚されるのではなく、ディスタンスが音の響きとして知覚される。

2　Drawing Tube

その実践において、〈知覚すること〉と〈つくること〉の相即を誰よりも重視する造形領域の芸術家が、ドローイングを基盤とした制作活動を行う鈴木ヒラクである。鈴木（2016）は、二〇一六年にドローイングの新たな研究・対話・実践のための実験室、そして、それらを記録・共有するためのプラットホームとしてのプロジェクト「Drawing Tube」を立ち上げるが、その際にドローイングを以下のように定義する。

> 平面上に描かれた線のみではなく、宇宙におけるあらゆる線的な事象を対象とし、空間や時間に新しい線を生成していく、あるいは潜在している線を発見していく過程そのものを指します。たとえば、ダンスは空間への、音楽は時間への、写真は光の、テキストは言語のドローイングとして捉えることもできます。さらに地図上の道路や、夜空における星座、人間の腸なども含めてみると、私たちは世界の様々な領域に「ドローイング」を見出せるでしょう。

鈴木の言うドローイングは、ヒトがその身ぶりによって世界のなかに展開するあらゆるライン、そして世界自身の生成変化が顕すあらゆるラインを包括する概念である。鈴木のドローイングの実践は、日常の環境のなかにある様々なライン*を、自らの身体で辿り、そこから生まれる新たなラインを、世界のなかに再配置することである。鈴木（2015）は言う。

僕の方法論は、この現在進行形の世界に対応した、もうひとつ別の考古学としてドローイングをとらえてみることだ。まず既に遍在している亀裂から世界に入り込み、世界を点と線に解体することからはじまる。……そこにある点と線をよく見る。反対側からも見る。そしてなぞる。身体を使う。再配置する。何か現象を起こす。繰り返す。

鈴木はよく、自身のドローイングが世界の〈発掘〉や〈研究〉であると語る。彼のドローイングでは、身ぶりの元となるラインだけでなく、そこで用いる素材も日常の環境のなかから採集される。たとえば、鈴木がはじめて公に発表した作品に《bacteria sign》(2000)シリーズがある(図5-2〔口絵〕)。この作品の制作プロセスは、屋外の植え込みから土を採取し、枯葉を拾ってくることから始まる。そして、採集した土を木材のパネルの上にアクリルジェルメデュウムで定着させ、その上に、葉脈の中心線を繋ぐようにして、一枚ずつ枯葉を貼っていく。枯葉の葉脈のラインは、その葉が大気のなかにぶら下がっていた頃、風や雨、日差しなどとの照応のなかで成長してきたプロセスの痕跡である。コッチャ(2019:35)は言う。

*たとえば、路上にゆらぐ木漏れ日のかたち、アスファルトの白線の欠片、葉脈のカーブ、肌に浮いた血管、ビルの輪郭、中国の棚田の地形、地下道での靴音の響き方、獣道、レコードの溝、熱帯植物の枝振り、車のヘッドライトの残像、ＳＦ映画のシーンに一瞬映る看板に描かれた架空の会社のロゴマーク、飛んでいる蚊が空間に描く軌跡などのラインである(鈴木2015)。

ゆるぎなく、不動のまま、大気と渾然一体となるまで大気現象に晒される。中空に宙づりになり、いかなる努力も要さず、筋肉一つ収縮させる必要もないままに。飛翔できなくとも鳥となること。

　太陽光からエネルギーを奪い取り、周囲の生物圏全体に生命を与える葉は、そのような太陽光との照応のなかで、それぞれ異なる曲線を描いている。鈴木は、その曲線に沿って円を描くように枯葉を繋いでいく。その後、一度上から土で覆った後、土の下から枯葉のラインを掻き起こす。すると、まるで岩場から発掘された脊椎動物の化石の背骨のように、円を結んだ葉脈のラインが姿を顕す。これが、鈴木のいう〈発掘〉、架空の考古学の実践である。世界のなかに既に存在するラインを異化することで、もう一度、世界のなかから新たなラインを探し出す。鈴木にとって重要なのは、一枚もう一枚と発掘を繰り返すなかで出来ていく生産物ではなく、〈発掘〉という考古学的実践のプロセスそのものである。そして鈴木は、当初このシリーズを一〇〇枚制作することになる。それは、何度繰り返しても、同じ円が発掘されることがないからである。海岸で化石を掘り当てた子どもが、また新たな化石を見つけたい衝動に駆られるように、鈴木は同じプロセスを繰り返す。この発掘される円のラインは、鈴木が一方的に素材の側に押しつけるかたちではない。もちろん、鈴木には、ラインで円を結ぼうという大まかな思惑はあるが、実際に生まれる円は、枯葉の成長の痕跡に沿って少しずつズレを生じさせる。鈴木の身ぶりと、枯葉のラインとのせめぎ合いにおいて円が描かれていくのである。鈴木は言う。

> 何かそのかたちをつくる上での主導権が、自分の手にあるのか、それとも自然の形、枯葉の形にあるのかが判然としない領域で、こういう作品、こういう線が生まれてくるんですね。人工と自然の境界といっていいかもしれないし、人間の意図と偶然の境界といってもいいかもしれないし、コラボレーションっていうかもしれないし。
>
> （二〇一八年青森県総合学校教育センターでの講演より筆者文字起こし）

《bacteria sign》は、その後も継続的にヴァリエーションが制作され、当初は円だけだったものが、段々と複雑なラインへと変奏されていく。たとえば、中国雲南省の棚田の写真からインスピレーションを受けてつくられたものがある。棚田の不規則なラインは、その土地の生活者たちが地形のラインに沿って斜面を切り崩し、耕すことによって生成される。鈴木の身ぶりと、葉脈の撓《しな》りのとのせめぎ合いにおいて円が描かれるように、土地のかたちと、農民たちの土地を耕す身ぶりとのせめぎ合いにおいて、棚田の複雑なラインが描かれている。土地と農民たちとの照応のラインは、一枚の写真を介して、鈴木と枯葉との新たな照応を誘発する。鈴木（2013）は言う。

> 僕にとっては〝描くこと〟が単にアウトプットではなくて、外部の環境を翻訳して内面へインプットする行為でもあり、内からの表現（expression）が、同時に外からの感覚の刻印（impression）であるということを、よく思う。僕は、引き出しの底が抜けている。内と外の円環構造が成立しているときにだけ、ああ描いているなあ、と思える。そうじゃなかったらきっとアウトプットすべき内面の源が尽きて、自分の描く線に酔ってみたりとか、似たようなスタイルを繰り返したり、何か新しい引き出しを探しちゃったりするんじゃないかな。そうなってしまったら、それは僕の作品ではない。

環境のなかに汎在するラインと鈴木の身ぶりが描くラインとの照応の場は、あいだ（in-between）であり、相互作用によって両者を繋ぐ相互間（between）ではない。鈴木のドローイングの実践は、双方向的なインプレッション（知覚）とエクスプレッション（表出）には分割され得ない。「知覚すること」と「つくること（描くこと）」との相即においてはじめて、ドローイングは成立する。

過去のドローイングで描かれたラインも、最終的な生産物として動きを止めることなく新たなドローイングの素材となる。それを示す例として、《光の象形文字》（2011）シリーズがある（図5-3〔口絵〕）。この作品群は、ロンドン芸術大学チェルシー・カレッジ・オブ・アーツでの滞在制作中につくられた。《光の象形文字》の基となるラインは、チェルシー・カレッジ・オブ・アーツ周辺の街路樹がアスファルトの上に写す、木漏れ日のラインである。鈴木は、日差しと風と、そのなかで成長する樹々が茂らす葉が織り成す、揺れ動く木漏れ日の残像を、幾つか紙に写し取る。そして、そのラインを、石膏でつくった石盤に彫り込む。今度は、その石盤を砂のなかに埋め、打ち固めた後で取り外すことによって、ネガポジ反転されたラインが浮き彫り状になった鋳型が出来上がる。この鋳型に、溶かしたアルミニウムを流し入れ、アルミニウム製の石盤を鋳造する。この度重なるネガポジ反転によってつくられるのが、アルミニウムの立体作品群《光の象形文字》である。これは、既存のラインを辿ることで顕れた痕跡を、さらに別の新たなラインへと異化していく実践であると同時に、木漏れ日を文字に見立てて解読することで、この世界に現存する文字に対する架空の文字を生成する実践でもある。そして、この《光の象形文字》を、グラファイト鉛筆でフロッタージュ*することで、再度ネガポジが反転した、新たなドローイングが生まれる。鈴木（2012）は言う。

> もともとあった物質や記憶が消えて、それらの痕跡としての新しい物質や記憶が現れるまでに、様々なネガポジ反転現象が起こっているということ。……これによって現実そのものを「鋳型」として、ネガポジ反転＝鋳造されたイメージが現実の隣りに現像される。さ

＊モノの表面に紙を押し当てその上から画材を擦り付けることによって、紙にそのモノのテクスチャを写し取る技法。シュルレアリスムの画家マックス・エルンストがはじめたとされる。

らに、こうして生まれたイメージもまた「見られる」ことによって、すでに「描かれたもの」という、もうひとつ別の現実となり、次の鋳造のための型になるわけだ。こうしてイメージはまた新たなイメージへ、現実は新たな現実へと鋳造され続け、もともとそこにあったものは痕跡を残して忘れ去られ、フィードバックの外へとじわじわ拡張していく。だから鋳造は、エコーを生む技術だと言える。

鈴木が自らのドローイングを〈発掘〉や〈研究〉と呼ぶように、それは鈴木昭男の「自修イヴェント」と同様、世界に様々な身ぶりを投げかけ、その木霊（echo）を聴きとることで、世界を把握する実践である。鈴木は言う。

> ただ景色を見ることだけじゃなくて、そこに「描く」っていう行為を介在させることで、世界との摩擦が生まれるわけですよね。［紙にマーカーを擦りつけながら］こうやって音がするじゃないですか。世界に触れるわけです。これによって、世界が自分のなかに入ってくる。あるいは、自分のなかにあるものが、世界に痕跡として刻まれる。……世界に自分をチューニングするというか。それによって、世界を把握する。それと同時に、逆の言い方をすると、自己を把握するということだと思います。
>
> （二〇一八年青森県総合学校教育センターでの講演より筆者文字起こし）

図5-2　鈴木ヒラク《bacteria sign（circle）》（2000年）

図5-3　鈴木ヒラク《光の象形文字 #06》（2011年）

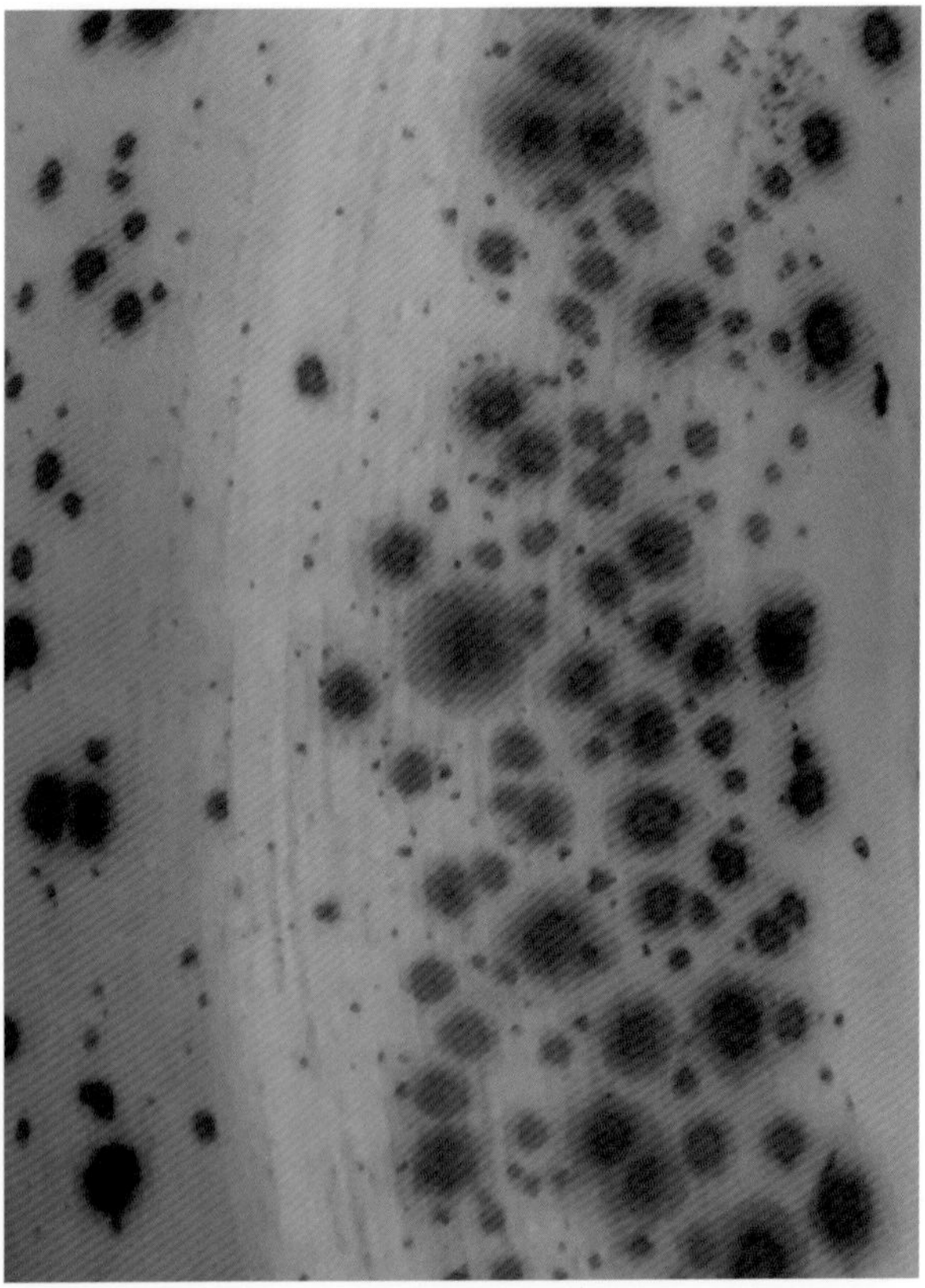

図7-1　学生Ａ撮影の肌理

図7-2　学生Ｂのフロッタージュ
（グラファイト鉛筆）

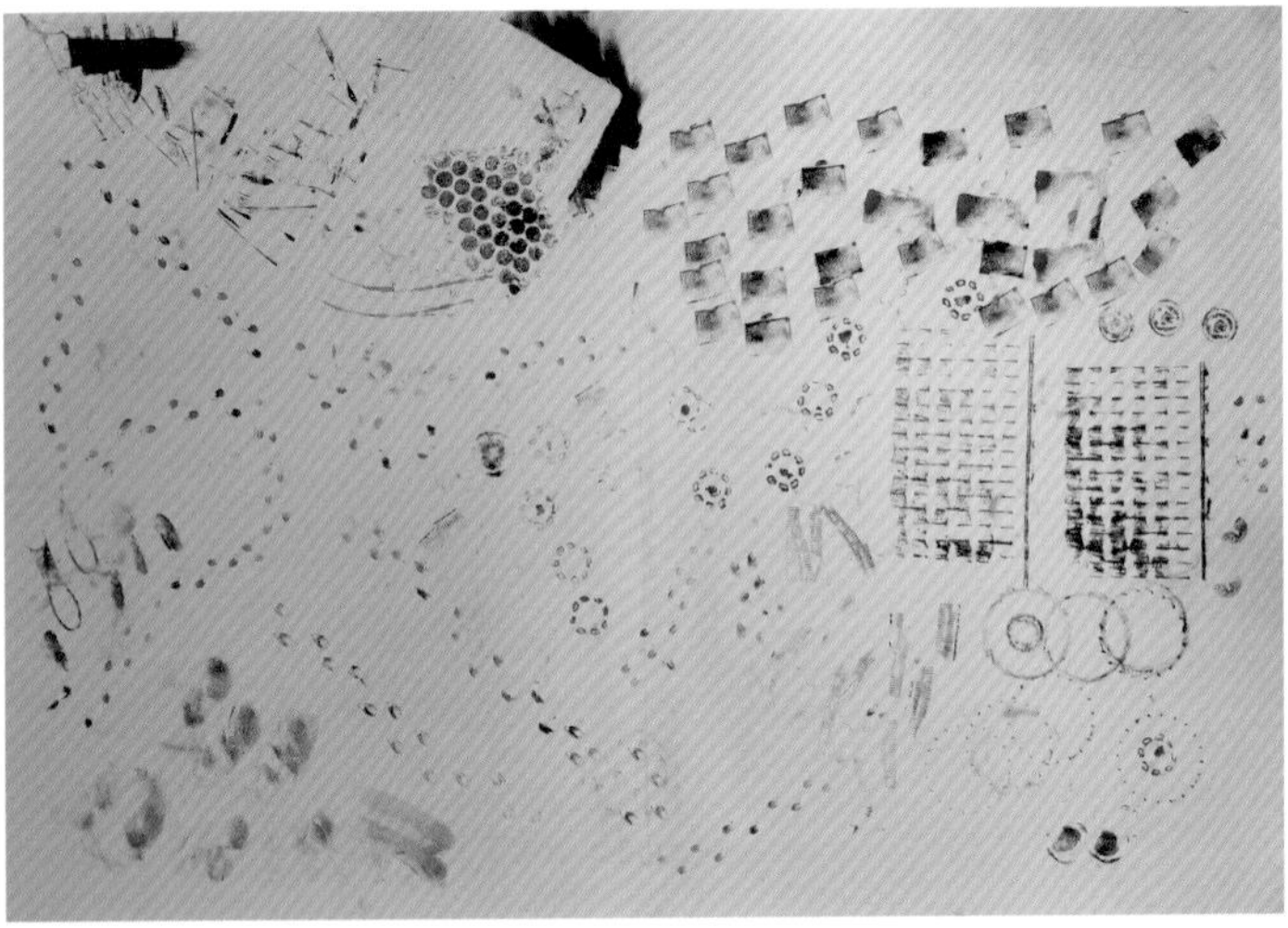

図7-3　学生Aのスタンピング

図7-4　学生Ｂのスタンピング

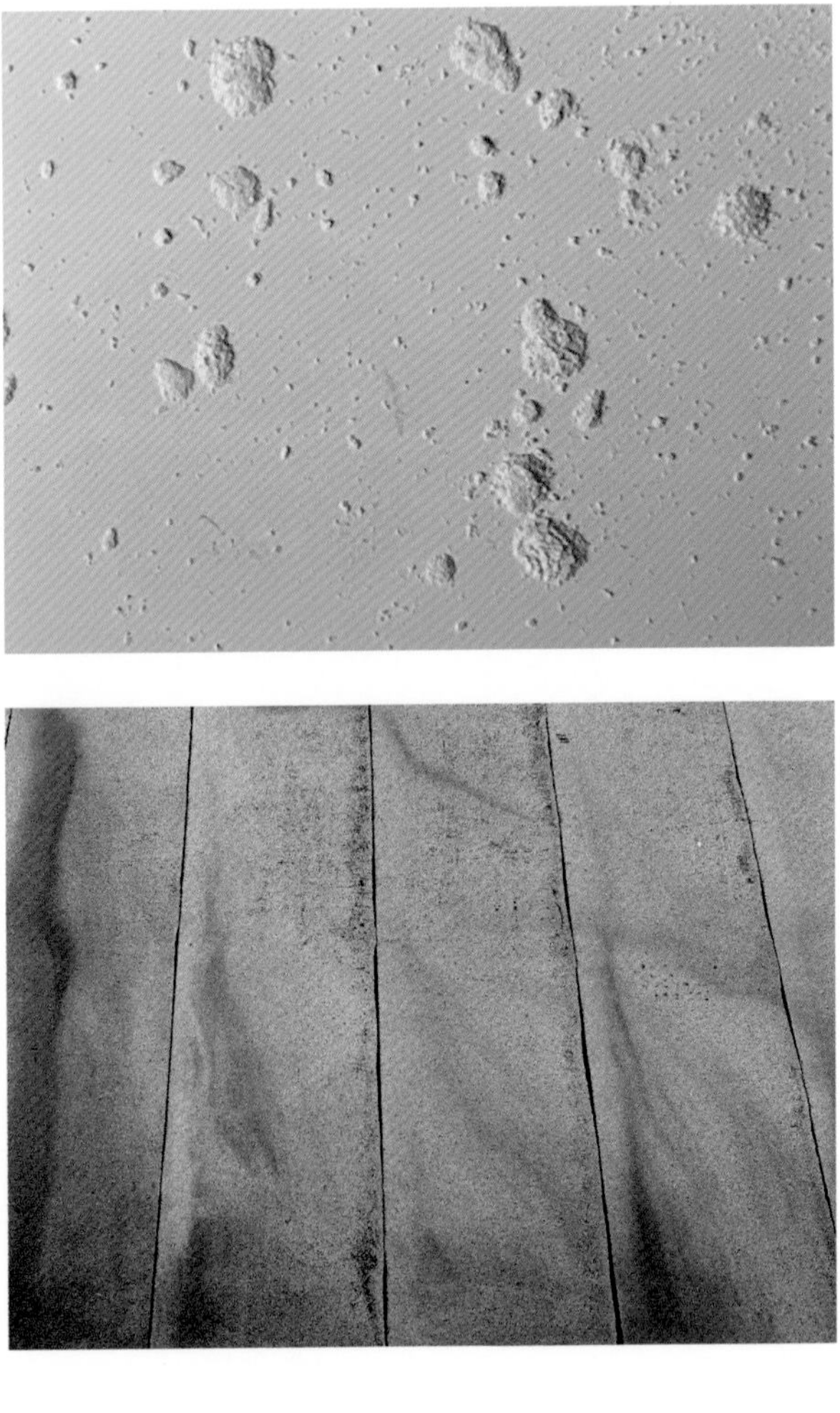

図7-5　学生Ａが見つけた痕跡

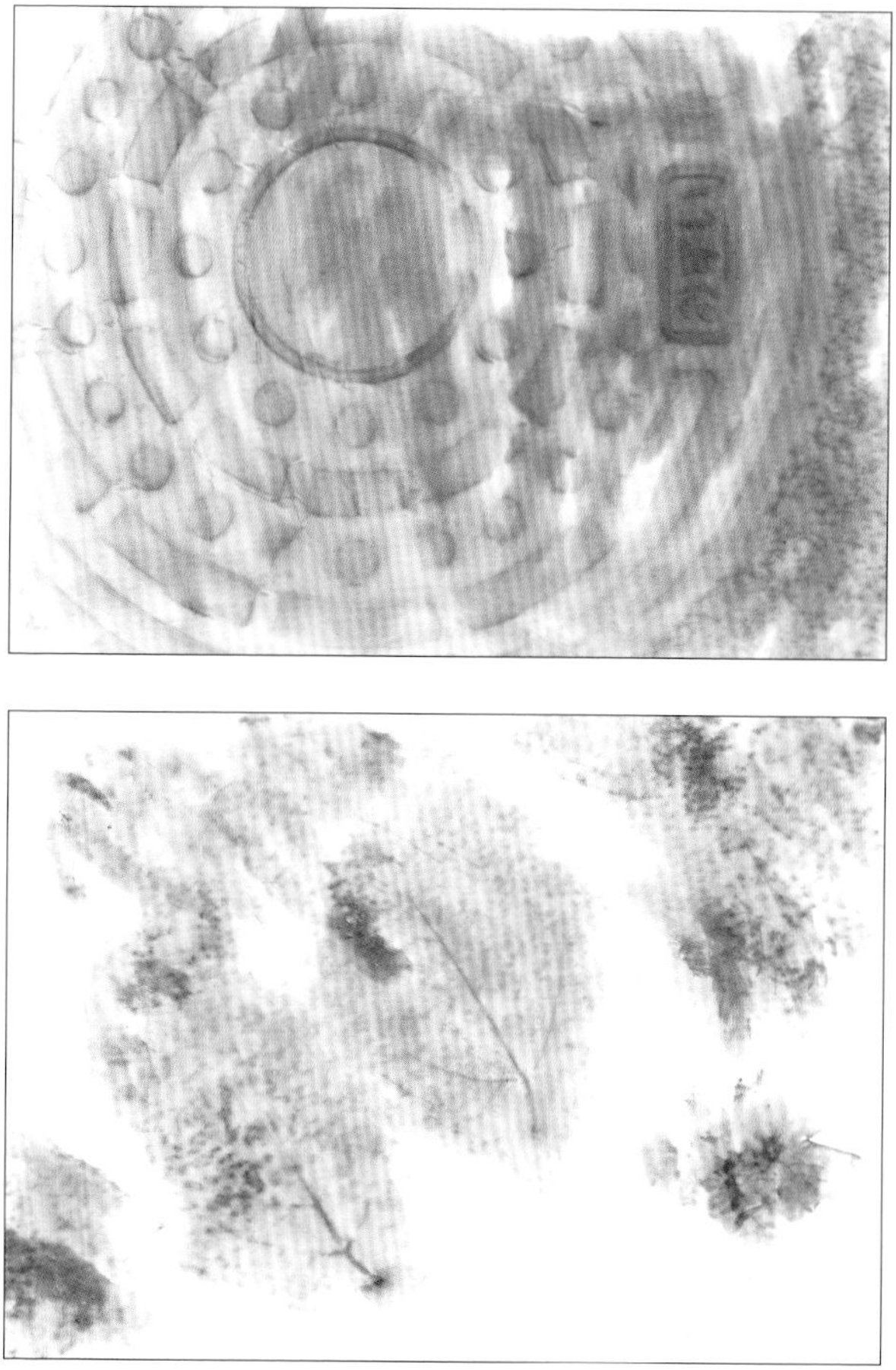

図7-6　学生Aの手によるフロッタージュ

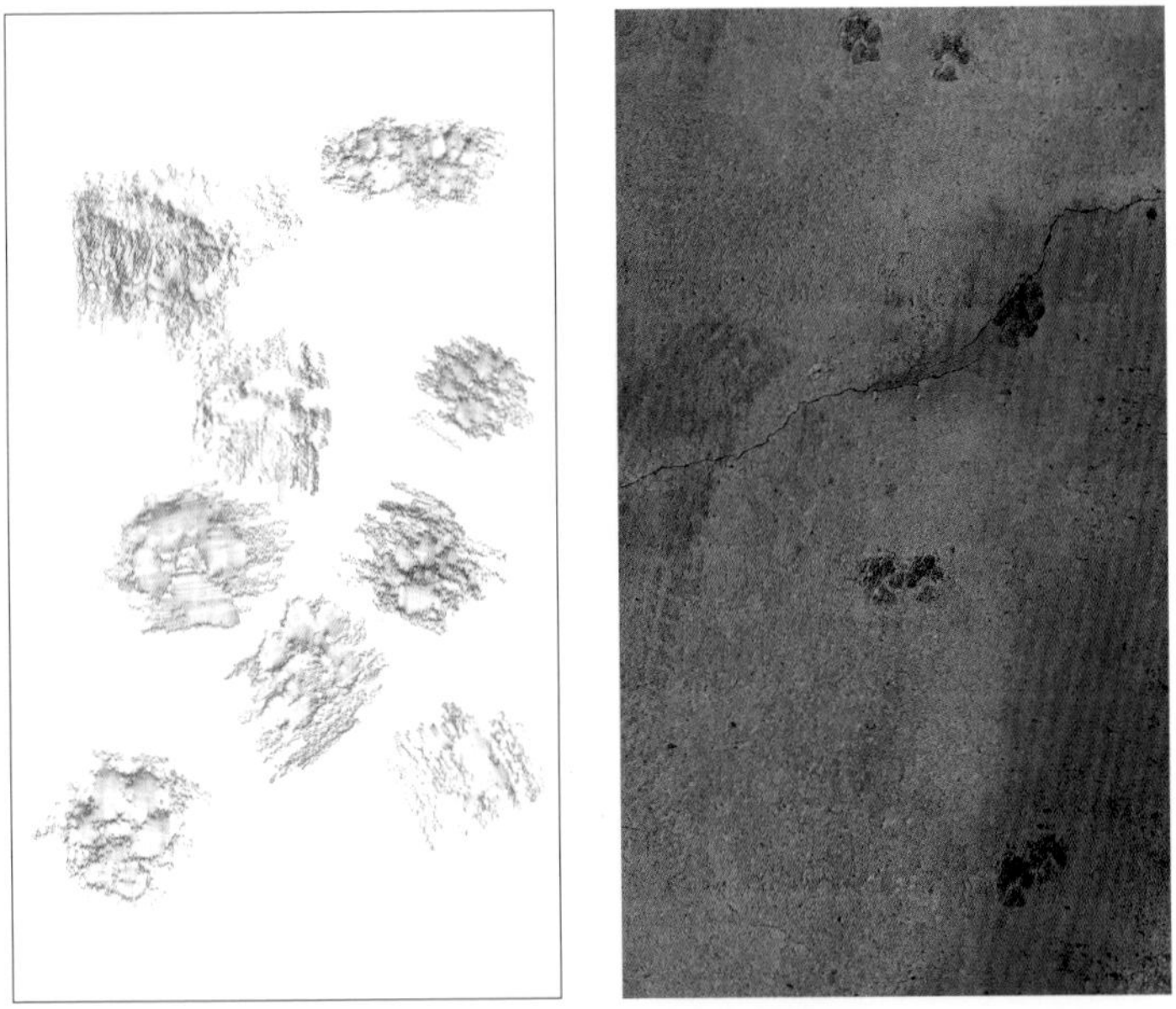

図7-7　学生Bによる猫の足跡のフロッタージュ

ドローイングつまり世界との摩擦において鈴木と世界は浸透し合い、鈴木の身体は自己と環境とを繋げるチューブ〈Drawing Tube〉となる。鈴木の実践には、《光の象形文字》がそうであったように、世界との摩擦の痕跡を採集するフロッタージュによるものが多い。鈴木は大学卒業後、アルバイトをして金を貯めては海外へ渡航し、バックパッカーをしていた。渡航先の各地で続けていたのが、マンホール蓋のフロッタージュである。彼は、現地で紙とそれを入れる筒だけを買い、各地を転々としながら野外でフロッタージュを繰り返す。画材は、自身のスニーカーに着いた、土や埃や犬の糞である。ベルリン、ニューヨーク、ノルウェー、トルコ、メキシコ、モロッコなど様々な土地で、鈴木はマンホールを捜し、その蓋の模様や文字を紙にフロッタージュし続ける。鈴木（同）は言う。

> 世界って、ただこうやって見ているだけだと、ツルンとしているようだけど、実は手触りがゴツゴツして、触ると摩擦が起こったり、温度があったりとか。そういうわけですね。そこに、紙とか膜があるんですけど。紙を世界を把握するための膜と考えてください。膜を通してこっち側に現れてくるんですね。それによって、自分に入ってくる。世界の凹凸が。それと同時に、これは表現でもあるわけですね。

鈴木が、ドローイングによって捉えるのは、表面仕上げ（surfacing）された世界ではなく、風化（weathering）によってざらつきや肌理を顕し続ける世界、つまり織地性《テクスティリティ》を有した世界である。そのざらつきや肌理は、鈴木の身体を通り抜けることで、新たなざらつきや肌理として生まれ変わる。たとえば、二〇〇二年のインスタレーションにおいて、東京の様々な場所のマンホール蓋の肌理は、鈴木の靴の裏を擦り付ける身ぶりによって十四枚の紙に写され、ＪＲ山手線の車両内の中吊り広告として再配置された（図5-4）。

図5-4　鈴木ヒラク《Manhole Test（東京）》（2002年）

Intermission

ドローイングの原初とは

鈴木ヒラク
オンライン・インタビュー

――二〇二一年八月三十日　鈴木ヒラク studio（東京）×弘前大学（青森）

T：髙橋憲人　S：鈴木ヒラク

地表を辿る

T　ヒラクさんのライフヒストリーと言うか。今みたいな実践の萌芽になるような、子どものときの印象的なエピソードってありますか？

S　色々あると思うけど、ライフヒストリーをぎゅっと凝縮して話すって結構難しいっていうか。子供の頃なんて、毎日のようにすごい数のエピソードがあったと思うし、それのただ一つをね…

T　ピックアップするっていうのは難しい？

S　具体的にはね、時々思い出したりはしますけど。たとえば今夏だから、夏のときに素潜りして、初めて海のなかの世界を見たときの、いきなり「世界は地上だけじゃないんだ！」って気づいたときの感覚とか。そういう気づきっていうのは今にも響いていると思います。あとよく話すのは、育った場所の近くに縄文の発掘現場が、遺跡が多かったんで。多摩丘陵で、造成地をつくって山を切り崩してるときに、そういう土器とか古いモノがたくさん出てくような場所で。子どものときに発掘に興味を持って、発掘少年だったたって話はあちこちでしてますけどね。子どものころは色んなこと感じたと思うし、毎日エピソードだらけだったと思うけどね。

T　発掘って、掘って出てきたかたちっていうのは、学者でもおそらく百パーセントは分からないと思うんですけど。そこでイマジネーションというか、「このかたちなんだろうな」っていうような感覚ですか？

S　かたちにも興味はもちろんあったけど、やっぱり子どもながらに、かたちの奥にある時間みたいなものには触れてたんだと思うし。今ではない時間。発掘ってそうじゃないですか。モノとかかたちを見つけるだけじゃなくて、いわゆる今暮らしている日常の時間とか空間の表面に裂け目をつくるとかね。そのなかに手を入れて、奥から今ではない時間を引き出してくるっていう。それと出会い直すというか。そういう行為だと思うんだけど。

あとはたとえば、空き地で外国のコインを拾ったりとかしたら、ここではない場所に触れるってことですよね。今という時間のなかに、今ではない時間が実は同時に流れていて。ここっていう場所には、実はここではない場所が潜在しているというか。そういう、潜在的な謎に触れるような感覚っていうのは、すごく敏感に感じてたし、そこから想像力が静かに拡がっていく心地よさがあったから。それは今につながっていると思う。そういうふうに日常を見ると、違って見えてくるというかね。

T

学生にフロッタージュをやらせてると、道路が人気なんですよ。道路って色んな痕跡があるじゃないですか。学生たちが写真を撮ったり、フロッタージュしたりして何を見つけてるかっていうと、連鎖的に痕跡から痕跡が発見されていくっていうか。それは、単に今顕れているモノだけじゃなくて、さっきおっしゃっていたように裂け目でもあって。時間の層が見えるっていうか。今の時間の層に刻まれた痕跡を見ると、そこから、たとえば過去になにがその上を通っていったのかとか。

S

痕跡はいっぱいあるわけで、そこからどういう道筋を辿っていくのかっていうのは、こっち次第というか。そこに科学的な正解っていうのは決めづらいし。逆にいえば、こうだったかもしれない、こうだったはずだ、そういう可能性を今目の前の現実に重ねることで見えてくるってものは、色々あるなっていうのはいつも思うことで。それ自体が本当になんなのかっていうことよりは。じゃあ、四千年前の土器の欠片っていっても、それが四〇〇一年前なのか、三九九九年前につくられたのかっていうことは本当に分からないし、そこまでそういったことが重要なわけではなくて…。

T ヒラクさんはよく「架空の考古学」みたいな言い方をしてますけど、そこに繋がってくるということ？

S 「別の考古学」っていうか、今っていう時とかここっていう場所をどういうふうに捉え直すかっていうことであって。考古学的な見方を目の前の現実に適用することで、また現実ってものが、より解像度高く、新しく目の前に立ち上がってくることが自分の興味なので。世界を把握し直すために、表面を掘り起こすとか、痕跡を辿るとか、フロッタージュとかもそうだけど。そういったプロセスを適用するっていうことですよね。

T フロッタージュとか色々なやり方で辿ってると思うんですけど、振り返ってみて、ヒラクさんならではの特徴っていうのをご自身で感じたりしますか？

S さっき高橋くんの言っていた、道路っていうのはずっと自分の仕事だったり、興味のなかですごく大きな対象ですね。モノとかアイデアを拾ったりするのも、道路沿いだったり、路面からだったりする。壁っていうよりは地面なんですね。それに実際、自分がやってること自体が、なにか道をつくるようなことでもあるっていう、自分が生きてることのアナロジーでもあるし。

この前、あるインタビューで喋っていてふと思い出したのが、僕の父親が建築をやっていて、イサム・ノグチのファンだったんですよね。それで小さい時にイサム・ノグチ展に連れて行ってもらって。その時に、地球の地表自体を素材とするような彫刻の捉え方に、子どもながらに触れて、すごくなにか感じたんですよね。理解したってわけじゃないけど。それは今に続いている大きな影響にはなったし、それ以降も、地面と関わるアートに興味を持ってきたっていうか。それは、リチャード・ロングが地面に歩行の痕跡を付けたこととかにも繋がってくるんですけど。アースワークとか、ランドアートの作家に惹かれていったし。その後に、都市の路上のストリートアートみたいなものにも興味を持ったっていうか。そういうのも経て、自分もマンホールのフロッタージュをしたりと。全部、地表に対する摩擦っていうか。それって、発掘とかもそうだけど、地表へのアプローチですよね。

その後は、アスファルトの欠片を持ってきて、それを繋いで作品にしたり、地表に落ちた枯葉を取ってきて、土っていうのも地表のそのものなので、土に枯葉を埋めて、その枯葉の葉脈を発掘するっていう作品をつくったりということをしていって。そういう地表の痕跡から何かを辿っていくっていうことをずっとやってきて。それがだんだん、ある時にそれだけじゃなくて、その反転というか。ある意味、地表から離陸して。言ってみれば、シルバーとか光を使い始めた頃に、反転したんです。

それまでは、ミミズのように地中に穴を掘ってくるようなアプローチだったのが、今度は穴を掘るのと逆で、空中にチューブをつくっていくような辿り方に反転して。空中に光るミミズが浮かんで動いているようなの。今はどっちもやってますけどね。そういう変化が途中であったっていうことですよね。

光のドローイングへ

T シルバーに興味を持ち始めたきっかけは、なにかありますか？

S シルバー自体は、だんだん作品に出てきたっていう感じなんですけど。シルバーというよりは、光ってものが作品の大きな要素になってきたんです。すごく具体的なきっかけがあって「シルバーをじゃあ使おう」って言うふうになったっていうよりは、今まで地表の痕跡を集めて再構成して編集していくようなつくり方でやっていった積み重ねの先に、自然と光というものがテーマになってきたんだけど。でも具体的にこれっていうのを一つ挙げるとすれば、やっぱり地表の木漏れ日なんですよね。

木漏れ日は未だに好きで、つい二日前にもいい木漏れ日を見つけたんですけど。地面に光のマークがゆらゆらしている。自然のアニメーションというか、アスファルトの上に木漏れ日が揺らいでるのを眺めていたときに、なにかそれが文字みたいに見えた瞬間があって。文字の欠片というか。またすぐに、それは揺らいじゃうんですけど。木の葉っぱが風で揺れてるから、そういうふうに揺らぐわけだけど。ずっと見てられるわけですよね、木漏れ日というのは。ロンドンで実際に、木漏れ日をテーマにした《光の解読》っていうドローイングのシリーズを描いて。その後も、木漏れ日の輪郭を象ってエジプトのタブレットみたいな表面に刻んだ鋳造の彫刻で、《光の象形文字》という作品をつくったりしたんですよね。その時に全てドローイングはシルバーで描いて、鋳造は金属、アルミニウムなので、天然のシルバーというか。光を反射するメディウムとして、シルバーを使ったということなんですけど。その後は、ステンレスを使ったりしてるわけだけど。

T　それはかたちが恒久的に残っている痕跡というよりは、短いあいだで消える痕跡ですよね。

S　そういう光の痕跡が、すぐ消えていってしまう、かたちをほとんど変えていってしまうというかね。残らないものを、そういうふうに石版に刻むようなことをしたわけですよね。街を歩いてたり、自然のなかを歩いていたりしても、ドブ川の水面でもいいんですけど、光を反射して光の粒子が揺らいでいるように見える所っていっぱいあると思うんだけど。ビルが日を浴びて光ってるとか、ステンレスの手すりがすごく光って強い光の線があるとかね。光の反射の現象っていうのは、日常あちこちで見れますよね。そういうところから、自分が何か描きたいという気持ちを掻き立てられるというか、ドローイングを立ち上げていきたいっていうふうに思うんですよね。

　自分は、目の前の痕跡を辿ったりするっていうのと同時に、描く（書く）ことの起源とか、もっと考古学的な、まずは人類がどういうふうにその行為を始めたかっていうこと、なぜ人は描く（書く）のかっていうこと、ずっとそれは子どもの頃から考え続けてきてることで。最近はそれがまた反転して、人間が介在しないドローイングっていうものも、大きな関心になってきてるけど。それでも、人間がなぜ描く（書く）のかっていうことにはずっと関心があって。そのなかで光っていうものが、どんな説であれ重要な要素としてあるわけですよね。洞窟の入り口から入ってきた光の輪郭を壁になぞったっていう話だったり、星座だって光の点と点を繋いだわけだし、月の満ち欠けを石に刻んでカレンダーを作るっていうものもそうだし。光という現象と、それを記録する、刻むっていう行為が必ず介在していたわけで。描く（書く）ことを始めたきっかけとしてね。そういうところとも、いま自分が目の前の光に反応して、そこからドローイングを立ち上げていくことっていうのが自然と繋がっているわけですね。

もちろん、正確に考古学の説を現しているとかっていうわけではなくて、何か新しい描く（書く）行為が立ち上がる瞬間とか、ある文明が生まれる瞬間みたいなものに興味があって。そういうことを、今目の前にある現象とかモノとの関係のなかで立ち上げていきたいなって思っているし。そんな感じですかね。

T　ドローイング・オーケストラの取り組みについてお話しいただきたいんですが、書画カメラで映しているときってネガポジ反転されていましたよね。ラインが実際とは違って光のラインみたいに見えるっていうのは、今のお話とつながってくるんですか？

S たとえば中国の書っていうのは、元を辿れば光のなかに影をつくることから始まっているわけですね。立体的に対象に刻んだ線の奥に陽の光が入って行かないから、影になると。表面が光で、そこに影をつくることで。だから墨が黒いのは影のメタファーなんだけれど。それと逆で、僕がシルバーで光のラインを描いているっていうのは、それが反転しているんですよね。闇の中に光を放つというか。ドローイング・オーケストラのあれも、白地に黒で描いた線を反転することで、線がプロジェクターからの光として、メタファーでもなんでもなく光になるっていう仕組みがあって。反転することによって、ああいう複数の線が混ざり合ったときにカオスにならないんですよね。ちゃんと重なってくれるというか、混ざり合ってくれるんですよ。これ全部、白い紙に黒で描いてそのままの映像だと、ぐちゃぐちゃになっちゃうので。そういうテクニカルな理由もあります。

T それは、見ていて感じました。

S 映画の初期の実験映像とかを見ると、その辺りの謎ってものは見えてくる気はするけど。ドローイング・オーケストラは、実験的な映画をつくり上げるような方法論でもあるんで。たとえば黒く塗りつぶしたフィルムに傷をつけて、映写すると傷の部分から光が漏れて、線が発生するじゃないですか。

T ドローイング・オーケストラでは、絵を描くリテラシーがない人のほうが面白いことができるというようなことをおっしゃっていた気がするんですけど。この後の展開として、いわゆる職業芸術家の人たち以外を巻き込むようなことって具体的になにか考えてますか？

S　ドローイング・オーケストラに関しては、そもそもダンサーとか写真家とか、書家だったり詩人だったり、グラフィティとか色々なジャンルのバック・グラウンドを持った人が集まって、それぞれが描く（書く）行為によって相手から線を引き出し合うという。そういう実験的な会話のようなセッションン中で、ハーモニーをつくるということなんで、いわゆる絵描きじゃない人も必ず入ってるわけですけど。もちろんオーケストラなんで、視覚だけではなくて、描く（書く）っていう行為によって発生する音も響きあって、何か新しい音楽になるっていうこともすごく大きなテーマです。毎回スコアを書いているし、音楽家とかを入れるのもいいと思いますね。
　でも多分、高橋くんが聞きたいのはそういう事っていうより、ドローイング・オーケストラのことじゃなくて、描くことを専門にやってない人が描くということについて、どういうふうに関わるのかみたいなことですよね？

T　そうですね。

世界との照応（correspondence）

S　ドローイング・オーケストラもそれの一部の取り組みとして入ってくると思うけど、それこそいまは藝大だったり、他の教育機関でも結構ワークショップをやることも多くて。そういうなかで、普段絵を描かないような学生たちとドローイングを通して関わるっていうことが、ここ数年増えてきていて。それはそれで、すごく自分のインプットになっていってるんですね。参加者も結構楽しんでくれるし、ある意味、教育の現場でお互いドローイングを拡張していくような実験をしているわけです。表現の現場でそれを自分が作品の一部として出すってことは、直接的にはそんなにやってないけどね。

今自分は、子どもが生まれてから、子供とずーっと絵を描いていくなかで、子どもの描く線に色んなことを思い出させられたりするわけですね。子どもは職業芸術家でも何でもないわけで。だけど毎日好きで描いてて。そこから自分が学ぶことも色々あるし、向こうも僕と一緒に書いてたらセッションになるわけですよね。描くっていう行為についての、大きな人類史みたいな話ももちろん興味あるけど、それと同時にやっぱり自分の子どもとかね、身近な単位で、どういうふうに書き始めるのかとか、どういうところに喜びを感じていたり、驚いたりするのか。そういうのは、僕はすごく観察していて、そういうところから教育というものが実感を持って自分の活動のなかに現れてきたというかね。ワークショップは、セッティングも大事ですけど、向こうが乗ってきて、本当に予想もつかないことがどんどん起こっていくと、すごく面白くなるし、お互いインプットになるし、それは職業芸術家とやるっていうのとは全く違う機会だと思います。

たとえば大学で三時間の授業があったら、よくやってたのはまず一時間ちょっと講義する。たとえば、この前期はRe-mappingというのをテーマにしてたんですよ。人間と自然との関係性だったり、どんどん変化している社会のなかだけじゃなくて、社会の外の、自然とか宇宙まで含めた全体のなかに、自分をどういうふうに位置付け直していくか。そのための方法としてのドローイングということをテーマにして授業をやっていったんだけど。世界中の色んなマップをまずは見せていったりとか。

地図ってグーグルマップだけじゃなくて。今は火星の地図っていうのも、どんどん変わっていってるわけですよね。最近、世界最古の地図と言われているのが発見されたってBBCのニュースが四月にあったんですけど。そういうところから見せていって、マーシャル諸島の海図とか、味覚の地図っていうのもあるしね。あとは、グリーンランドに住んでいる北方民族には、木の欠片を海岸線のように削っていって、寒いところなので、それをポケットに入れて手で触りながら自分がどこにいるかを知るっていう地図があったりとか。アボリジニのチュリンガーとかもそうだけど、世界には無数の地図があって、それだけ無数の世界の捉え方があるわけじゃないですか。そういうのを最初の講義で見せて、その後フィールドワークしていく。そこで、それぞれが自分の地図をつくっていくわけですね。入口は提案するけど、出口は人それぞれになるっていうか。全部出口が一緒になっちゃうのが、一番良くないんで。

結果は本当に色々バリエーションがあって面白いし。紙に描くものだけじゃなくても、歌でもダンスでもいいんですよね。マッピングをするっていう行為をどう捉えるか、いま世界のどこにいて、これからどこへ向かっていきたいのかは人それぞれなので。専門で絵を描いている職業芸術家と関わるっていうこととは、かけ離れてくるわけですよね。でも、そういうなかからアーティストが生まれてきてもいいと思うし。そういう取り組みはしてますね、最近は。

T 原研哉のRe-designみたいな。彼は「既知のものを未知化する」っていうことを言っていて。でも元々デザインということば自体が、その意味を孕んでいる。フルッサーっていうドイツの哲学者が言っているのは、デザインはサインの元となったラテン語signumにde-がついたもの、つまりde-signだということです。サインはソシュール的に言うと、「シニフィアン／シニフィエ」の結合じゃないですか。それを頭のなかの話じゃなくて、現実の「物／意味」に拡張したのがロラン・バルトかだと思うんですけど。そうすると、デザインそのものが記号を脱記号化するっていうか。物と意味の結びつきを剥がして新しくするっていう意味が、デザインということばに含まれている。

S デザインの語源は、イタリア語のdisegnoですけど、フランス語ではdessinです。ルネッサンス期にモノゴトに輪郭を与えて明確に捉える、世界を規定するってことを創造の根本だとする議論があったわけですけど。僕はドローイングっていうことばは、微妙に違うと思っていて。disegno よりも、もう少し別の拡張性のあることばであって。disegno っていうのは描写をベースとしてるわけですよね。たとえば先っぽが尖がった山が対象としてあって、それを見て描写すると、それは世界のリプリゼンテーションなんですけど。僕がドローイングという概念のなかで、特に教育において一番重視してるのが、高橋くんも大好きな correspondence（照応）っていうことばで。それは描写じゃないんですよ。自分の内と外が双方向的に影響し合って、繋がっていくことです。これは人間が描く（書く）っていうことを考えたときに、世界っていうものがそもそも人間の理解を超えて存在しているっていうことを認めるということでもあって。

人間はすぐ理解したつもりになっちゃうわけ。だけど、どうやらコロナにしても気候変動にしても、本当の世界っていうのは、今まで理解してきた、知っていたはずの姿とは違っていて、それを安全な場所から眺めている場合じゃないと。そのなかにどう自分を位置づけるかってなったときに、この correspondence という考え方だったり、何かと何かを結びつける方法論としてのドローイングを続けていくことによって、人間は世界に自分を紐付けられると言うかね。それで安心できると言うか、生きていくことができる。その総体を、マッピングと呼んでみるとまた見えてくるものがあるというか。あんまり Re- とか言いたくないんだけど、良い言い方がないので Re-mapping としたんだけど、既知だと思っていたことが、実は未知だったたっていうことにみんな気づいてきているわけだし。でもだからこそ、correspondenceのし甲斐があるというかね。

だからドローイングするんじゃないかってことですよ。人間の歴史なんてずっと、そういう未知の状況とのせめぎ合いのなかでドローイングして生きてきたわけなんで。ということだと思います。

第6章　サウンドスケープ

1　サウンドスケープと音楽

カナダの作曲家R・マリー・シェーファーは、音楽という営為をエコロジカルに捉える芸術論を展開する。その過程で考案された概念が「サウンドスケープ（soundscape）」である。この語は、音（sound）とランドスケープから派生した接尾辞 -scape との複合語であり、「音の風景」を意味している。この概念が考案された一九六〇年代後半には、五章で示したニューハウスのサウンド・インスタレーションのように、すでに音響芸術の素材として非楽音が取り入れられていた。しかし、楽音／非楽音の二分法を越えて、世界のなかに存在する全ての音を指し示す概念は存在しなかった。そのために要請されたのが、サウンドスケープということばである。シェーファーを中心に構成された「世界サウンドスケープ・プロジェクト（WSP）」において、サウンドスケープは以下のように定義されている（翻訳は鳥越 1997：60）。

> 個人、あるいは特定の社会がどのように知覚し、理解しているかに強調点の置かれた音の環境。したがって、サウンドスケープはその個人がそうした環境とどのような関係を取り結んでいるかによって規定される。この用語は現実の環境を意味する場合もあれば、とりわけそれが一種の人為的環境と見なされた場合には、音楽作品やテープモンタージュのような抽象的構築物を意味する場合もある。

サウンドスケープという語の定義がここに落ち着くまでには、多少の時間がかかった。当初、ディレクターのシェーファーはじめＷＳＰの研究員たちは、特定の地域の環境音を対象とした野外調査を行っていた。そして、そこで録音された環境音を、レコードにして調査報告書ともに出版したり、ラジオ番組で放送したり、カナダ国内の現代音楽家グループが企画するコンサートシリーズへ出品したりしていた（鳥越 1997：52-53）。これら調査活動の初期においてＷＳＰの研究員たちは、サウンドスケープを特定の調査フィールドの音環境として領域化できると考えていた。しかし、調査地を自分たちの暮らすバンクーバーから、カナダ全土、そしてヨーロッパ各国へと拡大させていくプロセスで、その考えが変化していく。そして、一九七七年の報告書 *The Five Village Soundscape* においてようやく、音環境に対する知覚や認識の仕方が共同体によって異なり、サウンドスケープは調査対象として領域化できるものではないと定義されるにいたるのである（鳥越 1997：58-59）。

　このような経緯もあり、「サウンドスケープ」ということばは、参与観察を基本とする人類学者たちから、外部者の視点から対象化して聴かれた環境音であるとの批判に晒されることとなる。たとえばフェルドは、サウンドスケープを、ペトラルカがモン・ヴァントゥの山頂から見下ろした眺望のように「ある高められ美化された距離から聴いた音環境にすぎない」（フェルド 2000：39）として批判し、シェーファーが主張する音響生態学を「音環境と人間の創造性とを人為的に分離しようとする」（同）乗り越えるべき思想として扱うことで、自らの主張する音響認識論の新規性をアピールし続けている。フェルド（同：40）は、音響認識論に基づきサウンドスケープを以下のように定義する。

> サウンドスケープは、人間の活動を空間的に取り囲んだり隔てたりするような、単なる物理的な外在物ではないということだ。サウンドスケープは、みずからの場所を世界のなかに位置づけようとする人間によって知覚され、解釈されるものであり、そこには、社会的時空のなかで身体と生命とを共鳴させる人間によって、意味が付与されているのである。

また、山田陽一は、サウンドスケープが居住者の生活体験から切り離された音環境であるというフェルドの主張を踏襲するほか、サウンドスケープ思想における聴取が、聞くことに偏向した受動的なものであり、人間の音響的創造性を蔑ろにするものであると指摘する。山田(2000：9)は言う。

> シェーファーの考えのなかでは、サウンドスケープは人間の耳によって受け止められ、聞きとられ分析されるものだということが前提となっている。……シェーファーが想定しているのは、環境から人間への一方的な音の流れであり、そこでは音を聞くことの受動性が自明の前提とされているのである。

そして、山田は、シェーファーのエコロジカルな音楽思想の根幹である音響生態学について、「シェーファー自身は結局、音響生態学を推進したり具体的に実証したりすることはなかった」(同：10)と結論付ける。

この両者の批判は、少なくともシェーファー自身の活動に対しては、全く的外れなものである。確かにシェーファー自身も、サウンドスケープということばを考案した当時、その元となったランドスケープという語にイメージしていたのは、ペトラルカが見た眺望であった(シェーファー 2011：7)。しかし、先に示したＷＳＰの定義からも明らかなように、一九七七年には既に、サウンドスケープということばは、個人や特定のコミュニティがそのなかで知覚し、それを理解する音環境という意味で用いられている。ゆえに、WSPの調査も、サウンドスケープを対象ではなく、ヒトと音環境との関わりとして扱うようになった。そして、山田の批判においては、シェーファーが本来作曲家であり、かつ、子どもたちが生活環境の音を素材に彼ら自身の音楽を導くためのエクササイズを考案した教育者でもある、という重要な側面が完全に見落とされている。本章でこの先示すように、シェーファーがサウンドスケープ思想において〈聴くこと〉を何よりも重視するのは、サウンドスケープが彼自身の作曲におけるインスピレーションの源であり、彼が、あらゆる時代の音楽作品は、その時代のサウンドスケープへの作曲家のリアクションであると確信しているからである。今田匡彦（2015：39）は言う。

> 特定の音響空間、土地に生息する精霊たちが、彼［＝シェーファー］に作品を創るための霊感を与え、その結果あるときは《フルート協奏曲》に、また、あるときは、《マニトゥ》が生まれた。しかしながら、一九六〇年代後半、ヴァンクーバーという都市の現代的な音響空間は、彼に霊感を与えてくれなかった。ゆえにシェーファーは、作曲家の使命としてサウンドスケープ、および、サウンドスケープ・デザインという概念を提唱するに至った。

シェーファーのサウンドスケープ思想のなかでは、〈聴くこと〉と〈音をつくること〉は音楽という営為の表裏一体の側面である。一方向的な環境へのアウトプットだけにしか「人間の音響的な創造性」を見出すことのできない山田の主張の方が、よほどヒトの創造性への無理解を露呈していると言える。フィールド調査という視点から見れば、シェーファーが破棄したように思われる音響生態学は、彼の教育実践のなかで脈々と存続し続けている。逆に言えば、教育実践においてこそ音響生態学を推進することができるというのが、シェーファーが辿り着いた結論であろう。

サウンドスケープが対象化された音環境に過ぎないという同様の批判は、サウンドスケープ研究者の内部からもなされている。たとえば、平松幸三（1997）は、視覚的な風景について語る柄谷のように、国木田独歩の文学のなかに環境音を単に美的な対象として捉える「訪問者」の聴き方を見出す。『武蔵野』を例に平松（同：99）は言う。

> 国木田独歩が伝えるのは、都市に住み、文学的、美的な知覚の図式を持った知的エリートの耳を通した武蔵野の音である。独歩が「空車荷車の林を廻り、坂を下り、野路を横ぎる響」と楽しむ武蔵野の音は、車夫の耳を通した武蔵野の音ではない。

つまり、サウンドスケープ思想が求める環境音を音楽の素材として聴く態度は、それを美的な対象として扱う外部者の聴き方であり、土地の居住者、平松の言う「住まう者」（同）の聴き方ではない。しかし、この平松の考えは、既存のエスタブリッシュされた音楽を前提としており、彼の持ち出すエリートの音楽的聴取と居住者の土地に根ざした聴き方の二分法は、音楽とはいったい何かという問いの前に脆く崩れ去る。

シェーファー（2006：106）は、表裏一体の〈聴くこと〉と〈音を創ること〉を、擬声語を例に説明する。

擬声語によって、周囲のサウンドスケープの中のさまざまな要素をこだまにして返すことで、人間は自分自身と周囲に広がるサウンドスケープとを統合する。印象《インプレッション》が取り込まれ、それに対して表現《エクスプレッション》が行われるのだ。だが、サウンドスケープは人間が言葉で模倣するにはあまりにも複雑すぎる。人間が自らの内なる世界と外なる世界との真の調和を見出すことができるのは、唯一音楽においてのみである。そして、人間が自らの想像力に基づいて理想的なサウンドスケープの最も完全なモデルを創造するのも、音楽においてなのだ。

同じく自らの実践をインプレッションとエクスプレッションの円環と考える鈴木ヒラクが、フロッタージュによって世界と照応するように、世界の音を聴くヒトは、その音に木霊を返すことで、世界と照応する。これは、「投げかけとたどり」を繰り返す鈴木昭男の日常の実践でもあり、ゆえに彼の「自修イヴェント」は音楽であり得るのだ。

2　内側からのサウンドスケープ・デザイン

シェーファーの主著『世界の調律』の第七章「音楽、サウンドスケープ、変容する知覚」では、戦争への銃砲類の導入、工場の登場といった、サウンドスケープへ新たな人工音が加わっていくプロセスが、多くの作曲家とその楽曲の引用とともに語られている。シェーファーにとってこの章を書くプロセスは、「それらの作曲家たちがどのように音環境から霊感を得てきたか、を探究するための旅程」（今田 2015：35）であった。ある土地のすべての居住者と同じように、作曲家も、彼らを取り巻くサウンドスケープのなかで生きている。サウンドスケープが変化すれば、かれらの知覚の様態、つまり、サウンドスケープから作曲のインスピレーションを得る道筋も必然的に変容する。ゆえに、異なる時代の音楽には、作曲家が意図したかどうかに関わらず、その時代の音とリズムが、多様なかたちで影響をとどめている。今田（同：34）は言う。

> プロコフィエフの《ピアノ・ソナタ第七番》の終楽章が、十八世紀には鳴り響いていなかったのを感じ取れるのは、ジャズの影響の有無からだけではない。《戦争ソナタ》の異名を持つこの作品は、車、飛行機、汽車など、当時の欧米のアーバンな音風景がなければ成立しえなかった音響を持つからである。

シェーファーは、「主要な仕事をするのは自然で、作曲家は秘書なのである」（同：234）と主張する。サウンドスケープつまり「鳴り響く森羅万象」（同：28）は、作曲家の身体を通り抜けることで、新たな響きへと自身を変奏する。作曲家の武満徹も、シェーファーと同じように作曲という自らの仕事を捉えている。武満（1996：52-54）は言う。

> 作曲という仕事を、無から有を形づくるというよりは、むしろすでに世界に遍在する歌や、声にならない囁きを聴き出す行為なのではないかと考えている……私は音をつかって作曲するのではない。私は音と協同するのだ。だが、私がときに無力感にとらえられるのは、私がまだ協同者の言葉をうまく話せないからだ［。］

つまり、作曲家の技能とは、生成変化する世界の流動のなかで音と照応する能力である。シェーファーと武満の作曲観からは、サウンドスケープの荒廃が、いかに音楽にとって致命的なことであるかがうかがえる。

　ところが、シェーファーがサウンドスケープということばを考案した一九六〇年代後半、世界のサウンドスケープは悪化の一途を辿っていた。産業革命以降、大きさの面でも密度の面でも過剰となった人口音が、サウンドスケープを満たすようになる。これらの人工音は、その大きさと平坦さで土地固有の環境音をマスキングし、その土地に生きる居住者たちの「聴く力」（シェーファーはこれを透聴力（clairaudience）と呼んだ）を低下させていった。しかし、騒音によるサウンドスケープの荒廃は、単に人工音が物理的に増加したというだけの問題ではない。最たる問題は、騒音による居住者たちの透聴力の低下によって、彼らの音への無関心が蔓延するという悪循環である。シェーファー（2006：25）は言う。

> 騒音公害は、人間が音を注意深く聴かなくなった時に生じる。騒音とはわれわれがないがしろにするようになった音である。

ゆえに、単なる物理的な騒音規制は、騒音問題へのネガティブなアプローチであり、透聴力の低下に対する根本的な解決策とはなり得ない。そこでシェーファーは、騒音問題へのポジティブなアプローチとして、サウンドスケープ・デザインを提唱した。シェーファーにとってサウンドスケープとは、「われわれの周りで果てしなく展開していく巨大な音楽作品」（シェーファー同：414）である。もちろんそれは、最終的な成果物として凝固したいわゆる「芸術作品」ではない。サウンドスケープは、すべてのヒトを包囲し、果てしなく展開していく生成変化する世界としての音楽である。「この宇宙のコンサートは常に開演中であり、会場の座席は空いている」（同：414）。それには当然、始まりも終わりもなく、すべてのヒトが聴衆であり、演奏者であり、作曲家である。そのなかで生きるすべてのヒトの営為が何らかの音を生み出し、それらが絡み合いながらサウンドスケープをかたちづくっていく。シェーファー（同）は言う。

> サウンドスケープ・デザインは、決して上から統御するデザインになってはならない。むしろ意味深い聴覚文化の回復こそが問題であり、それはあらゆる人に課せられた仕事なのである。

この仕事は、すべてのヒトが、ある音をその音源に帰属させたり、無意味な雑音として聞き流したりする習慣化された聴取を放棄し、「自分たちをとりまく世界の驚異に対して耳を研ぎ澄ま」し、「鋭い批判力を持った耳を育」むことから始められる（シェーファー 2009：5）。

では、サウンドスケープ・デザインとは具体的にはなにを行うことなのか。鳥越（2000：146-147）が指摘するように、ＷＳＰの発足当初からの活動である調査研究活動、「音の削除や規制」「音の保存」「音環境の創造」など多岐に渡る活動がサウンドスケープ・デザインの一部と言える。そして、そこにはカナダの土地のサウンドスケープからインスピレーションを受けて作曲された《月を授けられる狼》*など、シェーファー自身の作曲活動も含まれるだろう。し

*同じグループの人々が、毎年同じ時期にオンタリオの原生林を訪れ、一週間に渡って同じ作品を演奏するプロジェクト。

かし、サウンドスケープ・デザインが万人に課せられた仕事である以上、最も重視されるべきは子どもや一般の人々を対象とした教育活動でなければならない。

3　サウンド・エデュケーション

サウンドスケープ・デザインへと万人を誘うための教育プログラムとして考案されたのが、サウンド・エデュケーションである。そのエクササイズ集である『サウンド・エデュケーション』の序文でも同様の主張がなされている。シェーファー（2009：5）は言う。

> サウンドスケープ・デザインとは私にとって、「上からのデザイン」や「外からのデザイン」を意味するものではない。それは、「内側からのデザイン」である。できるだけ多くの人びとが、自分の周りの音をより深い批判力と注意力を持って聴けるようにすることによって達成される「内側からのデザイン」なのである。

まず、すべての人々に先だってサウンドスケープ・デザイナーとならなければならないのは、サウンド・エデュケーションの実践者である。サウンドスケープ・デザイナーの仕事は、公共空間の音響設計などにおいて「上からのデザイン」を押しつける音響デザイナーたちのように、もう一つのサウンドスケープを生産し上書きすることではない。この点について、シェーファー（2006：479）自身も強調している。

> ……［サウンドスケープ・デザインは］デザイナーが社会全体をデザインし直すということではない。デザイナーはただ、社会が自らのデザインをやり直さないことで何を取り逃がしているかを示すだけなのだ。

サウンド・エデュケーションの実践者に求められるのは、参加者一人ひとりがサウンドスケープ・デザイナーへと変容する道筋をサポートするファシリテーターに徹することである。『サウンド・エデュケーション』および、子ども向けに書かれた『音さがしの本：リトル・サウンド・エデュケーション』に収められたエクササイズは、次の三つのまとまりから構成されている（シェーファー2009：6）。

（一）聴覚および聴覚想像力に関するエクササイズ
（二）音づくりに関するエクササイズ
（三）社会における音に向けられたエクササイズ

（一）「聴覚および聴覚想像力に関するエクササイズ」は、聴くことに焦点を当てたエクササイズ群である。たとえば、「耳をすましてみよう」（シェーファー；今田 2009：3）では、数分のあいだ静かに座って、自身を取り巻く音の総体を聴いてみる。そして、聞こえた音のすべてを紙に書き出したり、参加者同士で発表し合ったりする。さらに「いちばん遠くで聞こえた音は」（同：10）では、街角で目を瞑り、自身の周囲で動く音をすべて聴いてみる。野外では、音の情報量や拡がりは、教室のなかより格段に増していることだろう（図6-1）。今田（2015：125）は言う。

> たとえば靴が異なるさまざまな種類の地面に当たるときの音と感触、遠くからやってきてすぎ去っていく音、視覚化できる音、突然起こる人為的な音、それらが追いかけ合い、ときには混ざり合い、拡散していく。野外での音環境は想像以上にダイナミックである。

日常の音を改めて聴くことで、習慣的に聞き流していた音の新しい相貌が見つかるかもしれないし、過去にその音によってもたらされた印象を思い出すかもしれない。その後で、たとえば「『音の日記』をつけてみよう」（同：21）を家に帰ってから実践してみれば、注意深い聴取は普段の生活のなかにも拡がっていく。そして体験に根差した音の印象を日記に書きとめることばは、慣習化されたもの（たとえば雨は「ザーザー」という既存のオノマトペ）から遠ざかるだろう。

（二）「音づくりに関するエクササイズ」は、生活のなかの音を素材に、参加者自らが音をつくる活動へと進む。たとえば、「音をたてずに紙をまわす」（同：45）「紙を楽器にする」（同：46）などのエクササイズがある。前者では、輪になった参加者たちが音を立てないように工夫しながら紙を一人ずつ手渡しで廻していく。音を立てないように意識することで、参加者たちは「紙という素材の質に気づくとともに、どのように紙に身体を馴染ませるか」（今田 2015：127）、つまり紙という素材と自身の身体との照応の道筋を探っていく。後者では、参加者たちが一人ずつ紙を楽器に見立て音を鳴らしていくが、それぞれが他の参加者とは違った音を考えなくてはならない。前者のエクササイズで、紙という素材の手触り、重さ、抵抗を全身で学んだ参加者たちは、自分なりの紙との照応の道筋、「紙への立ち合い方」（同：128）をもって新たな音を環境のなかに投げかけていく（図6-2）。

（三）には「部屋に好きな音をつけ加える」（同：116）などの課題がある。無尽蔵な〈聴くこと〉の体験に満ちた日常のサウンドスケープ、それを探りつつ新たな〈音をつくること〉を可能とする自身の知覚能力に気付いた参加者たちは、日常生活のなかで小さなサウンドスケープ・デザインを続けていく。

図6-1　ファシリテーターがデザインしたコースを誰ともしゃべらずに聴き歩く弘前大学の学生（今田匡彦提供）

図6-2　模造紙を使ったエクササイズを行う弘前大学の学生たち（今田匡彦提供）

4　全感覚的な芸術教育へ向けて

シェーファーのサウンドスケープへの拘《こだわ》りは、必ずしも聴覚あるいは聴覚的な芸術実践（音楽）の偏重へは繋がらない。それは、もちろん彼が作曲家という音楽の専門家であることとは切り離せないであろうが、なによりも西洋世界を中心とした視覚偏重への抵抗という意味を持っている。シェーファー（2006：476）は言う。

> サウンドスケープ・デザイナーが耳を重視するのは、ただ現代社会の視覚偏重主義に対抗するためであり、究極的にはむしろすべての諸感覚の再統合をめざすものなのである。

実際にシェーファーは、このような考えに基づき、全感覚的な芸術教育の可能性を他領域の専門家たちとともに模索している。たとえば、一九七〇年代前半サイモン・フレイザー大学勤務時のシェーファーは、画家のジョエル・スミスと共同で授業を行ったり、美容師や昆虫学者を講師として呼び、嗅覚についての授業を行ったりしている（シェーファー 1980：69-74）。このようなシェーファーの態度は、インゴルドによるサウンドスケープ研究批判への回答ともなり得る。インゴルドが問題としているのは、サウンドスケープなる環境が果たして存在するのか、という点である。インゴルドが、気象世界と呼ぶ生成変化する世界のなかで生きているヒトは、媒質の流動である大気＝雰囲気に浸されながら、多感覚的に世界を知覚している。インゴルド（2021：327）は言う。

……私たちがそのなかで経験したり知覚したり運動してまわったりしているところの環境は、私たちがそこへと入り込んでゆくための諸感覚の経路に沿って切り分けられてなどいない。私たちが知覚する世界はどの経路を選ぼうと同一の（same）世界であり、それを知覚するなかで私たちのそれぞれが動きと気づきの一つの未分の中心として行為しているのである。

これは、シェーファーも意を同じくするところである。シェーファーが、媒質ののなかで聴いているという事実をいかに重視していたかは、『世界の調律』第一章「自然のサウンドスケープ」のほとんどが波や風についての記述（「海の声」「水の変容」「風の声」）に当てられていることからもうかがえる。さらに、シェーファー（1980：22）は、子どもの芸術教育における領域化の危険性を指摘してすらいるのである。

五歳のこどもにとっては、芸術は生活で、生活は芸術です。かれにとって経験は万華鏡のようで全感覚的流動体です。こどもがあそんでいるのをみて、その活動をいままでの芸術形態の領域におさまるかどうかためしてごらんなさい。不可能です。しかも、そのこどもたちが学校に入るとたちまち芸術は芸術、生活は生活になります。……私のかんがえでは、全体感覚中枢がこうして破壊されるのは小さなこどもの生活にもっとも深い傷跡をのこす経験です。

全ての感覚を鋭敏にして、生成変化する世界のなかで素材と照応する。この五歳児の体験を忘れることなく芸術実践を続け、終わりなき〈知覚すること〉と〈つくること〉の相即を確認し続けているのが、「投げかけとたどり」をし続ける鈴木昭男であり、ドローイングの領域を拡張し続ける鈴木ヒラクである。

サウンド・エデュケーションは、日常の音環境を題材にし、〈聴くこと〉に焦点化したエクササイズから〈音をつくること〉に焦点化したエクササイズへと進むことで、参加者一人ひとりが自身と環境との関わりから導かれる創造性を意識化していく、エコロジカルな教育プログラムである。あらゆる人々がそれぞれの生きる地域で創造し、享受できるインクルーシヴな芸術が求められている現在、シェーファーが模索していた全感覚的な芸術教育の実現は、いっそう重要性を帯びてきている。そのための一歩として、第Ⅲ部では〈知覚すること〉から〈つくること〉へと展開するサウンド・エデュケーションの枠組みを応用した造形芸術ワークショップを提案することで、本書のしめくくりとしたい。

第Ⅲ部

第7章　エコロジカルな地域アートを目指して

1　アートプロジェクト

近年、日本における参加型アート（Participatory Art）の一部が「アートプロジェクト」ということばで定義されるようになる。熊倉純子（2014）は、その特徴を「共創的（co-creational）」であることと指摘する。熊倉（同：13）は言う。

専門家たちの手の中にのみあった表現の強い作用を社会のなかに解き放ち、アートにまったく関心がなかった一般の人々を巻き込みつつ、さまざまな人々の「気づき」をつなげてゆくことで、アートプロジェクトは、プロとアマチュア、さらには一般社会の無関心と、幾重にも分断されていた現代芸術の世界を共創の場へと変貌させていきます。

つまり、専門的なリテラシーを共有する芸術家や鑑賞者のなかだけで充足していた芸術活動の場に一般の人々の参画を促すことで、従来のプロフェッショナル／アマチュア、表現者／鑑賞者という既存の二分化に揺さぶりをかけるような試みがアートプロジェクトということになるだろう。現に多くのアートプロジェクトは、特定の地域に潜在する空間を芸術活動の場に転用する（サイトスペシフィック Site-specific という語で語られる）、芸術活動のある部分を地域住民たちが協力して担うといった特徴を持ち、「文化政策が対象とする芸術活動の領域の拡張を示すもの」（佐藤 2018：54）として評価されている。さらに、吉澤弥生（2011）は、アートプロジェクトの多くが、特定の専門的芸術の素材や道具（たとえば油絵具やピアノ）ではなく地域住民の生活のなかから見出されたモノを素材に見立てる点、芸術家が専制的に芸術活動を主導するのではなくコーディネーターやファシリテーターの役割を担う点を評価する。これらの特徴について、吉澤（同：203）は言う。

> これらは日常の生活のなかにある創造性を形象化するための知恵や技であり……日常のなかに芸術を見いだすことによって従来の芸術／非芸術の境界を無化し、あらためて「自分たちの芸術」に潜在する力を示し、それを共有していこうとする実践である。

しかし、地域住民の生活のなかに素材を見いだし、地域住民を芸術活動のプロセスに参加させているとはいえ、多くのプロジェクトにおいて、活動のプラン、目指されるべき成果物（作品）は招聘された芸術家によって予め規定されている。つまり、作品へと結実するであろう芸術家の企図が先行している限り、参加者の活動は多かれ少なかれ芸術作品のパーツづくりを担わされているに過ぎない。ゆえに、参加者の活動に対する芸術家の「基準」や「質や量のコントロール」は、参加者の体験の質とは異なる評価基準に則して作用している（鷲田 2009：242）。アートプロジェクトが何かしらの物質的成果物、外部から地域を訪れる観光客等の鑑賞者を求める限り、それは地域住民の参加の媒体であると同時に、展示され外部者によって眼差される作品でもあるという二面性を持ち続ける。その限りにおいて、アートプロジェクトは、どこまでも芸術家や主催者のものであり、地域住民にとっての「自分たちの芸術」とはなり得ない。鷲田（同：245）は言う。

> ……自己を認識したいという市民の欲求を利用して、市民にプロジェクトの中で表現させせる一方、プロジェクト自体はアーティストや主催者の名の下に行われ、その成果をアーティストや主催者が搾取する点に問題があるということになるだろう。

もちろん参加者は、芸術家あるいは他の参加者たちと協同してプランを成し遂げることで達成感を得ることもあるだろう。しかし、その達成感は「自分たちが参加して全体ができるという物語の『美しさ』」（同：246）という原動力に依拠している。芸術家によって仕立てあげられた非日常としてのプロジェクトのなかでの協同の達成感に充足するのではなしに、地域住民自らが、日常生活のまさにその場から芸術の素材を発見するところからしか「自分たちの芸術」は生まれない。そこで必要なのは、芸術家と社会との共創でも、それを目指す芸術家と地域住民の協同でもなく、地域住民が日常生活の素材と共創することである。

2　織地性《テクスティリティ》に導かれる

〈知覚すること〉から〈つくること〉へと展開するサウンド・エデュケーションの枠組みを応用した造形芸術ワークショップは、地域住民にとって「自分たちの芸術」であるような地域アート実践となるだろう。

サウンド・エデュケーションが、サウンドスケープの最も基本的な要素である音への気づきから始まるなら、同様の造形芸術ワークショップは、視覚あるいは触覚が捉える環境の最も基本的な要素への気づきから始まるものである必要がある。第I部で見てきたように、それは対象物のアウトラインや外形ではなく、生成変化する世界の流動が万物にもたらす肌理やざらつき（grain）である。

肌理やざらつきを題材とするエクササイズは、デザイン教育に多く見られる。プロダクトデザインにおけるＣＭＦ*のように、どのような肌理をモノの表面に持たせるのかは、デザイナーにとって重要な関心事である。有名な例として、バウハウスで実践されていた「素材と肌理の学習」のカリキュラムがあげられる。バウハウスのマイスターであったヨハネス・イッテンは、目を瞑って様々な素材に触れて肌理を感じ、その触覚をもとにしたモンタージュをつくらせるというエクササイズを学生たちに行わせていた。そこで学生たちは、「木の肌理だ」といったように肌理を対象物に帰属させることなしに、「表面が粗いこと、すべらかな面を持っていること、幾多の溝があること、繊維質で乾燥していること」（テクタイル 2016：101）など表面が秘めていた多様な相貌を発見していった。

肌理を個別のモノが有する表面の構成要素として捉えることを超えて、世界やモノの生成変化の痕跡として考察するエクササイズの例としては、武蔵野美術大学・原研哉ゼミの卒業制作があげられる。原は、現役のデザイナーとして仕事をしつつも、二〇〇三年から自身の出身大学である武蔵野美術大学基礎デザイン学科で教鞭をとっている。彼のゼミナールの卒業制作は二〇〇四年度から、原の方で学年全体の研究テーマを用意し、ゼミ生たちと共同研究を行うというスタイルを採用している。この共同研究のタイトルであり、年度毎の研究に通底するコン

＊モノの表面を構成する color（色）、material（素材）、finish（加工方法）の三要素を指す。

セプトが、information（情報・伝達）の対義語として造語された「Ex-formation」である。人々にモノゴトの既知化を促すinformationに対して、Ex-formationとは、既知のモノゴト、人々の当たり前を未知化し、「いかに知らないかを分からせる」（原研哉ゼミ2006：3）コミュニケーションである。このEx-formationの二〇〇六年度のテーマは、ゼミ生たちとの協議の結果「皺」になった。原（原研哉ゼミ同：10）は言う。

> 手の平を見つめると手相があり、さらに凝視すると別のレイヤーに指紋がある。顕微鏡で眺めると倍率に応じて皺の層は果てしない。視点を巨視に切り替えると、地表は地殻の皺であり、海はうねりや波という皺で覆われ、大気の偏差は雲という皺を生み出す。宇宙は電磁波の波動に満ちた皺であり、遠望する銀河も光の皺として渦巻いている。僕らはその皺の多様さと美しさにのめり込み、熱中した。

ここで原とゼミ生たちが発見し、魅せられた皺とは、まさに生成変化する世界の織地性《テクスティリティ》そのものである。卒業制作のなかから織地性《テクスティリティ》を捉えた興味深いものを二つ紹介する。はじめに、《送り皺》である。これは、荷物や手紙を特定のルートを決めて、実際に世界の諸都市のあいだを郵便し、そのプロセスでそれらの配送物に生じる肌理の変化を比較するものである。配送物たちは、この旅路のなかで他の荷物に押しつぶされたり、ときには雨に濡れたり、中継地点では具体的にヒトの手を介されることによって、様々な痕跡を刻みつけられていく。次に《Complex trail》である。日本列島は、無数の川筋を有している。それは、天候や樹木の貯水機能によってもたらされる環境の循環プロセスの痕跡であるだけでなく、フリースラントの海岸において波が運ぶ砂の動きと人々の干拓の営みとのあいだで海岸線が織り上げあれていくように、川の流れとその流域で生きる人々の治水の営みとのあいだに生まれた痕跡でもある。また、道筋も大地の襞に沿い、時にはそれを横断しながら営まれきた交通、開拓の痕跡である。《Complex trail》では、川筋と道筋という二つの痕跡のラインだけをそれぞれ、国土地理院発行の二十万分の一地勢図からトレースした（同：70）。それにより、海岸線や都道府県などのボーダーラインを失った、メッシュワーク状の日本列島が姿を現すのである。

　では、肌理を題材にしたエクササイズを一般の人々向けのワークショップに落とし込んだ場合、どのようなものが可能であろうか。その一例として、弘前大学における教養教育の授業のなかで試行された一連のエクササイズを紹介する。授業内でのワークショップ型演習として、「肌理を撮る」「フロッタージュ」「日用品を用いたスタンピング」*「身の回りの痕跡を探す」の四つのエクササイズを実践した。この四つのエクササイズは、生活環境の肌理を注意深く観察すること（「肌理を撮る」）からはじめ、生活環境の肌理を素材としてつくること（「フロッター

＊凹凸のあるものに絵の具などを付け紙に押し当てることで、モノの凹凸を写し取る技法。

ジュ」「日用品を用いたスタンピング」）へ展開し、もう一度自身が生活する環境を見直す（「痕跡を探す」）へと回帰することで、「知覚すること」に焦点化したエクササイズと「つくること」に焦点化したエクササイズに、有機的な繋がりを持たせることを狙っている。これは、サウンド・エデュケーションの「聴覚および聴覚想像力に関するエクササイズ」からはじめ、そこでの学習を活かして「音づくりに関するエクササイズ」へと進む、今田匡彦の学校教育での実践「サウンド・プロジェクト」（2015：123-129）の構成を参考にしたものである。

前者の三つのエクササイズに共通するねらいは、写真やフロッタージュ、スタンピングを介在させることにで、環境のなかのモノゴトを対象物として視ることを抑制し、肌理への気づきを促しやすくするということである。「身の回りの痕跡を探す」に回帰した後は、授業の最後に、四つのエクササイズでの体験を基に、受講者自らが生活環境のモノゴトを素材とした芸術エクササイズを考案する「小さなエクササイズをデザインする」を課した。本章では、二〇二一年前期の授業を受講した二人の学生に注目し、授業内での一連の発見を、エクササイズごとに辿っていく。なお、この授業は学部越境型の科目であり、学生A（理工学部・男性）、学生B（人文社会科学部・女性）ともに芸術を専門とはしていない。

(1)　肌理を撮る

「肌理を撮る」は、日常の生活環境のなかに汎在する多様な肌理を、カメラで撮影するエクササイズである。撮影には、学生各自のスマートフォンのカメラ機能を利用した。事前に注意事項として、なるべく対象物の輪郭から切り離して肌理を接写することを伝えた。

Aは、このエクササイズのプロセスで、道路には、アスファルトや電柱、踏切など様々な構造物があり、肌理の発見が多いことに気づいた。自身が撮影した黄色にペイントされた踏切の表面について、手で触れると、目で見た錆の斑点とは別のレイヤーにある塗痕の曲線を感じたこと、顔を近づけると鉄錆のいい匂いがしたことなど、視覚以外の発見もあった。このエクササイズについてAは「ちょうど日常で考古学のようなことをしている」と感じたという（図7-1〔口絵〕）。

Bは、輪郭から切り離して表面を見ると、それが屋内なのか屋外なのか、壁なのか地面なのか、何かしらのモノなのか、後で掘り返ると撮影した自身ですら分からなくなると感じた。ゆえに、画像を後から見て、思い返したり想像したりするのが楽しかったと語る。

(2)　野外でのフロッタージュ

「フロッタージュ」では、前半はグラファイト鉛筆とB2サイズの上質紙、後半はカラーパステルと四つ切りの木版画用紙を用い、白黒とカラーのものを一枚ずつ仕上げた。

Aは、グラファイト鉛筆では、道路のアスファルトをフロッタージュした。同じアスファルトでも、鉛筆で擦る力の強弱や、手の運び（虹を描くように、縦横ジグザグに）、鉛筆の角度（あえて立ててみる）などによって違いが出ることを発見した。また、手で直接アスファルトを触ったときと、フロッタージュを媒介したときとでは感触に違いがあり、その差異が「すごい面白くて。僕は、鉛筆で地面を撫でたほうが好きかな」と感じた。

さらに、「肌理を撮る」のエクササイズとの関連について、「肌理を撮る」のとき、他の学生が撮影した木の幹について、樹皮が外界の流動と木の内部の成長とのあいだに介在しているという話題が上がったのだが、フロッタージュの最中にAはそのエピソードを思い出し、今擦っている紙が、外界と地面のテクスチャとのあいだに介在する樹皮のような存在であることに気づいたという。また、Aは「肌理を撮る」でも道路をフィールドに選んだことから、二つのエクササイズそれぞれで違う肌理が採集できたことも面白いと思ったと報告している。

カラーパステルでは、同じ文字が刻印されたマンホール蓋を色々な場所から探し、フロッタージュすることで紙の上に配置していった。この際Aはわざと目を瞑って触覚だけを頼りに擦っていった。

学生A：そしたら視覚的に情報が入ってこなくて。手だけで探ることによって、なんていうんですかね、無意識的な何かっていうか、そういうものが働くっていうか、手触りだけで擦ることで見えてくるものがある。そういう感じがしました。

また、擦っている途中で、手についたカラーパステルの粉が、偶然紙に着いてしまった。Aは、それを応用し、自分の手にカラーパステルを塗って、手のひらによるフロッタージュを試みた。

Bは、グラファイト鉛筆では、U字溝に掛けられた鋼板製溝蓋をフロッタージュしたところ、目で何となく見ていたときは「菱形が並んでいるのかな」と思っていたものが、紙に写すことで、実際は九〇度向きが異なる実線が交互に並んでいることに気づいた。そのような線の並びをフロッタージュするプロセスが、縦方向に擦るか横方向に擦するかによって模様が浮き出たり出なかったりするという発見ももたらした。その後、マンホール蓋をフロッタージュすることにした。そのプロセスでマンホール蓋の周りも擦りはじめたところ、マンホールから伸びたアスファルトの地割れが見つかり、それを辿るようにしてフロッタージュを続けていった。地割れを辿ることで、フロッタージュが当初から写すつもりでいたマンホール蓋の輪郭を超えて展開していったのである。また、フロッタージュでは、目で見たときに見えるレイヤーとは異なる肌理が紙に現れることにも気づいた（図7-2〔口絵〕）。

学生Ｂ：全体を通して思ったのが、いつも見えてるモノと違う形が見えたっていうことと、いつも平らに見えてたものにも凹凸があったり、見えていなかったものが見えてきたりしたことを感じました。

(3) 日用品を用いたスタンピング

「日用品を用いたスタンピング」は、様々な日用品に版画用のインクを付け四つ切り木版画用紙にスタンピングすることで、肌理を写し取るエクササイズである。日用品は学生たちがそれぞれ家から持ち寄った。

Ａは、アイスクリームのスプーン、植物の種、いらなくなった靴下、ペットボトル、缶の蓋を素材として持ってきた。ペットボトルの場合、底面を押し付ける、側面を転がすなど、同じ素材でもスタンピングの仕方を複数見つけることができた。また、エクササイズの途中で、素材にインクを付けるために配られたメラミンスポンジ自体がスタンピングの素材として活用できることを発見した（図7-3〔口絵〕）。

学生Ａ：最初に種をスタンプしてみたときに、紙についた絵具の跡が鳥の足跡みたいになったので、そのまま歩かせてみようと思って、かなり歩かせてみました。

種の跡を鳥の足跡に見立てた瞬間、地面を歩く徒歩旅行者の足跡のように、それは紙の上を自由に歩きはじめたのである。ひと通り、即興的にスタンピングを続けた後、ふと紙に目をやると「紙全体が道路にあった要素を全て含んでる」ことに気づく。メラミンスポンジをランダムにスタンプした部分は、電柱の表面にある貼り紙の剥がし跡に、ペットボトルの底をスタンプした部分はマンホールに、ペットボトル側面を転がした長方形の部分は側溝の蓋に、アイスクリームのスプーンでスタンプした部分は不定形なアスファルトの汚れに見えてきた。そして、そこを鳥が歩いているのである。ここでも、即興的なスタンピングのなかから偶然、今までのエクササイズでＡのテーマとなっていた道路が顕れたのである。

Ｂは次のように語る。

学生Ｂ：わたしは、家にダンボールとペットボトルが余っていたことを思い出して、それらを使いました。段ボールは、二枚の平らな紙のあいだに、なみなみの中芯〔波板〕が挟まっている構造になってます。平らな紙と片面を剥がしてインクを付けてスタンプすれば、沢山並んだ平行線ができると思ったので、それを紙の長辺の端でやりました。その後、ペットボトルの底を花に見立てたいと思って、さっきのダンボールの平行線を花壇に見立てることにしました。今度は、ダンボールの切断面を利用して、花壇と花のあいだに伸びる茎をスタンプしてみました。

あとは、ペットボトルのキャップから側面にかけての斜めの部分にインクを着けて、空いたスペースで即興的に転がしてみたら、クラゲの頭っぽかったので、ペットボトルのキャップの側面を転がして、クラゲの脚を描くことにしました。キャップを思うように転がすのは難しかったのですが、偶然に転がった軌道によって、いい感じに躍動感、動きのある脚のラインになって気に入っています。

Ｂは、目で見たときの日用品の凹凸と、紙の上に現れる肌理が異なるという、フロッタージュとスタンピングとの共通点を発見した。また、偶然に現れた肌理やかたちから想起されたイメージが連鎖的につながって、次の行為が導かれていったことを報告している（図7-4〔口絵〕）。

学生Ｂ：テーマを最初に決めてなかったんですけど、やっていくうちに気づきを得て、予測不能と言うか、行き当たりばったりな模様に出会ったり。最初は花をやったんですけど、後からクラゲ出たりとか、普段見れないような光景が一緒の面にあるのも面白いなって思いました。

(4) 痕跡を探す

「身の回りの痕跡を探す」は、環境の流動によってできた痕跡と、ヒトの動きによってできた痕跡を一つずつ探してくる。痕跡を採取する方法は問わない。

学生A：僕ははじめ、ヒトの動きによってできた痕跡として、ドアや窓など空間を仕切っていて、よく触れられるものに注目してて。そうするとそういうものには多くの傷があって。どうやって傷ができたのかを、傷を自分の身体でなぞることによって考察するのも面白いなっていう。でも、校舎内を色々探しているうちに、直接の接触によらない痕跡が見つかりました。それは、黒板拭きクリーナーの上で黒板拭きを前後させる動作で、周りにポツポツと飛び散ったチョークの粉の塊です。床の汚れとか接触による痕跡には線状のものが多いのですが、この痕跡は点描的なのが面白いと思って選びました。

　環境の流動によってできた痕跡は、校舎の屋上から見た、低階の屋根の汚れです。今まで床とは壁とかに、すごい拡大して撮ったことが多かったんですけど、これはかなり遠くから撮ってるんですよ。屋上から。だから、すごく遠くから離れることで、肌理っていうか流動の感じが見えるっていうのが面白いなと思って。

「肌理を撮る」の逆の発想で、視点を巨視寄りに切り替えたのである。そして、Aは、この痕跡が降り溜まった雨水の流れによるものであると推理し、そこから「雨が降って流れた感じの音が想像できるっていうか。そういうものが、痕跡が音を持っているっていうか」と痕跡の音響的側面にも意識が向いた（図7-5〔口絵〕）。

Bは、ヒトの動きによってできた痕跡として、大学構内のタイル敷きの歩道に着いた線状の痕跡を見つけた。そこでBは、日常ヒトが残す痕跡の多くは、そのヒトの身体と環境とのあいだに別のモノが媒介している場合が多いということに気が付いた。

学生B：足跡であれば、自分の足跡でも、自分が履いている靴と世界の跡であったりとか、タイヤであっても、自分で乗ってる乗り物と地面との跡であったり。自分と世界のあいだにモノを挟んでいるっていうことから、単純に関わってるんじゃなくて多くのモノと関わり合ってるんだなっていうのを感じました。

また、環境の流動によってできた痕跡としては、「日用品を用いたスタンピング」から連想したのか、大学構内の歩道と駐車場とのあいだにある花壇に付いた様々な痕跡を調べた。ここでは、雨や雪などの気候現象や、寒暖差といったモノに痕跡をもたらす環境要因が様々あるように、それによって顕れる痕跡も、ヒビ、浸食、堆積など多様にあることが面白いと感じたという。

(5) 小さなエクササイズをデザインする

「小さなエクササイズをデザインする」は、生活環境のなかのモノ、身ぶり、音などを素材にしたエクササイズを宿題として受講者各自が考案し、最後の授業で発表した。学生たちには、特定の芸術についての技能やリテラシーを必要としない、「これをやったから何になるの？」ということを考えない、つまり最終的な成果物に囚われない、という条件を出した。

Aは、「手を使ったフロッタージュ」と「日常の動作音の採集」という二つのエクササイズをデザインした。まず、「手を使ったフロッタージュ」であるが、初め、Aは数人の友人たちに鉛筆を配って彼らと地べたに座って共同でフロッタージュをしたり、紙を殴ってみたり、即興的に様々なことを試みてみた。その結果、偶然たどり着いたのがこのエクササイズである。

学生A：かなり色んな方向に行きつつ最終的にこれになったみたいな感じで。エクササイズをつくっていく過程自体がある種、フロッタージュでなぞってたら色んな所もなぞってみたくなるみたいな。飛び火じゃないですけど、そういうものが重要になってくると感じました。

試行錯誤の結果、「野外でのフロッタージュ」のエクササイズのときに考案した手を使ったフロッタージュを深めることにした。まず、鉛筆削りで鉛筆の芯の部分だけを削りとり、それを砕いたものを画材に見立てた。Aにとっては、鉛筆を削るプロセスも新たな発見の場であったという。

学生A：鉛筆をただ削るっていう作業でも、ぐりぐりやると音が出て、その音からまた痕跡として削りカスが出て、削りカスの写真とかも撮ってみると、かなり今まで見たことがなかったような肌理が出てきたりして。

マンホール蓋やアスファルトの上に乗せた紙の上に鉛筆の粉をまぶして、撫でたり、押し付けたり、叩いたりと様々な動作でフロッタージュをしてみた。そのプロセスで、たまたま紙の上に土が乗ったことから、今度は土を画材として使ってみることにした。しばらくは乾いた土をそのまま用いていたが、途中で水を混ぜて、泥によるフロッタージュに移行し、地面だけでなく周囲にあった落葉の肌理を写してみたりもした。そこでAは、水の比率や、砂の交じり具合、粒の大きさなどによって、現れる肌理が変化することを発見した（図7-6〔口絵〕）。鉛筆を使った場合よりも、手のひら全体で地面を三次元的に捉えられることで、Aは、フロッタージュをした後の紙そのものも単なる二次平面ではなく、ぼこぼこした三次元であることに気づいた。また、Aはフロッタージュの結果残る痕跡が、紙の表面に現れた視覚的なものだけでないことも発見した。

学生A：手で地面を擦ると結構痛いんですよ。そうすると、ずっと地面を擦ってた手がどんどん土っぽくなってきて。ある種それも手と土と紙とに痕跡が残るし、それが少しのあいだ、手がしびれたりして。しびれっていうものとしても、自分のなかに感覚として痕跡が残るっていうのがまた、気づいたこととして面白かったです。

「日常の動作音の採集」は、歯磨き、トイレでの排泄、勉強など日常のなか習慣化している動作の音をひと通り録音するものである。Aは、自身の歯磨きの音を、始めから終わりまで録音してみた。いざそれを再生してみると、予想していた歯ブラシを擦る音だけでなく、水道の蛇口を捻る音、換気扇の回る音、蛇口を上っていく水の音など多様な音が聞こえ、歯ブラシを擦る音がそれら音の総体のなかに位置づいていることが分かった。またAは、録音を介してスマートフォンのスピーカーから流れる音が、自身が歯磨き中に直接聞いている音からは異化されており、それが面白かったと語る。このエクササイズでのAの一番大きな発見は、歯を磨くという日常の動作の技能が音や触覚のなかにあるという感覚である。

学生A：自分の脳で考えて磨くってよりも、日常の中で自分が歯を磨く能力が、周囲の音とか、歯磨き粉とか、あるいは歯の出っ張りとか、あるいは手の指先とか、ツルツルした歯ブラシとか、逆にそういうもののなかに眠っていると言うか、そうではないのかなっていう感じです。

Bは授業内で実践したエクササイズの総集編として、一か所の地面をひたすらに観察するエクササイズをデザインした。彼女がフィールドとしたのは、自宅近くのコンクリート舗装の地面である。地面の観察によって、大きなひび割れや、自転車のタイヤ痕、猫の足跡が見つかる。はじめBは、猫の足裏に着いた汚れがスタンピングされたのかと思っていたが、接近してみると、その足跡はかなり窪んでおり、舗装が乾く前に猫が通ることによって付いたものであることが分かった。さらに猫の足跡を追っていくと、左方向に曲がっていった足跡だけが、上から黒く塗り直されていることを発見する。それまでBは、その黒い部分を、道路でよく見られる地面に張り付いたガムが黒くなったものだと思っていた。しかし、このエクササイズによってそれが本来、猫の歩行の痕跡を覆い隠すために、意図的にヒトの手が加えられたものであることに気づいた。塗り直された足跡をさらに追っていくと、これまで見ていた猫の足跡の周辺に、さらに小さな足跡があることに気づく。猫は親子連れであったのだ。

次にBは、足跡の周辺でフロッタージュを試みることにした。するとフロッタージュでの写り具合によって、親猫よりも子猫の足跡のほうが、凹凸が浅いことが分かった。さらに、紙に写った足跡をよく見てみると、「足跡がいびつな形をしていたり、指と肉球がそれぞれ離れていたり」し、猫が乾きかけのコンクリートに足を取られてよろけながら歩いたであろうことが分かった（図7-7〔口絵〕）。

このエクササイズでBは、「見ようとしないからいつもは見えない」だけで、表面に接近すると、そこは多様な凹凸や色彩で溢れているということを発見した。また、肉眼での観察とフロッタージュを併用し、視覚と触覚双方からアプローチすることによって、新たな発見が連鎖的に生起するということを学んだ。さらにBは、観察中に周囲の環境音に耳を澄ますことで、虫の声や、風の音、風で草が揺れる音、踏切の音、電車が通り過ぎる音などのなかに、「スタスタ」「トタトタ」という猫の足音を聞いたという。この足音によって、地面に足跡が付けられた過去のある時間と、それを観察しているBの現在の時間が一瞬だけリンクしたのである。

3　ブリコルールの限界芸術

鶴見俊輔（1999：14）は、専門的な技能を持つ芸術家や専門的なリテラシーを持つ享受者を必要としない、一般の人々がつくり一般の人々に享受される芸術を「限界芸術（Marginal

Art)」と呼ぶ。限界芸術においては、「〔日常的〕状況の内部のあらゆる事物が、新しい仕方でとらえられ価値づけられることをとおして、芸術の素材となる」（同：52）。そして、その営為は環境のなかに素材を発見することからはじめられる。鶴見（同：64）は言う。

> ……シロウト趣味人が、限界芸術家に変貌するきっかけは、職業芸術家の模倣からはなれて、自分の身近にある環境そのものの中に手本を発見することから来る。

プロフェッショナルが専従する既存の芸術を真似ているうちは、彼または彼女はそれらのミニチュアを完成させて満足している「シロウト趣味人」に過ぎない（たとえばママさんコーラス、水彩画教室など）。彼女または彼に必要なのは、自らが生活する環境のなかを探求し、そこから芸術の素材を発見することである。

つまり、環境のなかを注意深く探求することで音や肌理を発見し、それを素材に新たな音や肌理を生み出していくサウンド・エデュケーションや本ワークショップは、限界芸術であるといえる。「肌理を撮る」で学生たちは、接近したり、写真を介在したりすることで、日常のモノに新たな相貌を発見していった。「野外でのフロッタージュ」では、フロッタージュという行為を介在させることで、目で見たときとは違うレイヤーの肌理に触れることができることを発見した。これらは、日常看過されてきたモノたちが、新しい仕方で捉えなおされることによって限界芸術の素材となったと言える。フロッタージュにおいては、発見のプロセスは、即ち新たな肌理を紙の上に生み出していく創造のプロセスである。ここでは、紙を介した地面との照応によって「知覚すること」と「つくること」は表裏一体となる。

そして、学生たちが一連のエクササイズを通して見に付けたのは、ブリコルールの創造性といえる。クロード・レヴィ＝ストロースは、プランに則した既存の材料や道具でモノをつくるエンジニアの対概念として、ブリコルールという語を用いる。レヴィ＝ストロース（1976：22）は言う。

> ブリコレ bricoler という動詞は、古くは、球技、玉つき、狩猟、馬術に用いられ、ボールがはねかえるとか、犬が迷うとか、馬が障害物をさけて直線からそれるというように、いずれも非本来的な偶発運動を指した。今日でもやはり、ブリコルール bricoleur（器用人）とは、くろうととはちがって、ありあわせの道具材料を用いて自分の手でものを作る人のことをいう。

つまり、既成の楽器や画材を購入しプロフェッショナルの模倣をする「シロウト趣味人」とは異なり、「限界芸術家」はブリコルールであるということができる。たとえば、フロッタージュで、自身の手のひらを道具に見立てたり、土や泥を画材に見立てたり、スタンピングで、様々な日用品を芸術の素材に見立てた学生たちは、ブリコルールであるといえるだろう。

ブリコルールの創造性は、素材との「意識されざる『駆け引き』」（出口 2017：154）から生まれる。「駆け引き」のなかで、素材に「他の『もの〔＝素材〕』や周囲の環境との具体的な関係の中で、あらたな役割が発見される」（同：153）。

スタンピングにおいて、学生たちは素材と駆け引きしながら、偶発的に導かれる新たな活用方法を模索していた。たとえば同じペットボトルでも底面を押し付けたり、側面を転がしたり、インクを付ける素材の部位や、自身の動作を施行錯誤した。Aは、本来は素材にインクを付けるために配られたメラミンスポンジをスタンピングの素材として流用した。素材との駆け引きがあったからこそ、Bは偶然現れた肌理やかたちから想起されたイメージが連鎖的に繋がって、次の行為が導かれていった。これこそが、インゴルドのいう「創造性を『順方向に』捉えること」である。そして素材の新たな役割を発見することは、それを通して世界との新たな関わりの回路を開くことでもある。授業の最後に学生たちによりデザインされたエクササイズは、まさに素材との照応によって、自身と世界との新たな関わりの回路を開く実践となったのである。

4　環境が芸術になるとき

織地性《テクスティリティ》に焦点を合わせることは、従来の様々な二分法を乗り越える可能性を有している。一つ目は、自然／人工の二分法である。世界は大気や大地の流動によって常に自らを織り上げ続けており、その痕跡として多様な肌理やざらつきを顕している。ヒトは、その肌理やざらつきを発見し、それに従うことで自らの生活を営み、さらにその痕跡が新たな肌理として世界のなかに織り込まれていく。

二つ目は、生活／芸術の二分法である。芸術を含めたあらゆるつくることが、生成変化する世界のなかでの素材とつくり手との照応と捉えられる。そこでは、地形や地面の感触を見極め、前進していく徒歩旅行者と、紙や絵具の感触を見極め、筆を前進させる画家の技能は同じものと考えられる。これらの技能とは総じて、生成しつつあるものに従う力である。

そして三つ目が、制作者／享受者の二分法である。二つ目の二分法が乗り越えられた以上、芸術家がつくったモノゴトは、最終成果物として凝固することなく、他のあらゆるモノゴトと同じ地平で存在する。芸術作品を見ることは、芸術家と素材との照応の痕跡を身体的に辿ることである。それが如何に創造的なプロセスであるのかは、トゥオンブリの筆跡を辿るバルトのエッセイからも明らかである。また、環境のなかを注意深く探求し、見つけた線を辿る鈴木のドローイング、そして学生たちのエクササイズにおいては、知覚と創造は相即を成しており、見ること（インプット）とつくること（アウトプット）の二分法は、はじめから否定されている。

環境が芸術になる可能性は、あらゆる日常のなかに常に潜在している。日常の織地性《テクスティリティ》を能動的に探求し、それに従うとき、環境のなかでの様々なモノゴトとの照応が芸術として自覚されるようになるだろう。

引用・参考文献

Carruthers, M. 1998. *The Craft of Thought: Meditation, Rhetoric, and the Making of Image, 400–1200*. Cambridge: Cambridge University Press.

Ingold, T. 2015. *The Life of Lines*. Abingdon: Routledge.

Olwig, K. 2008a. Performing on the landscape versus doing landscape: perambulatory practice, sight and the senses of belonging. In *Ways of Walking: Ethnography and Practice on Foot*, eds. T. Ingold and J. Lee Vergunst. Aldershot: Ashgate, 81-91.

Olwig, K. 2008b. The Jutland cipher: unlocking the meaning and power of a contested landscape. In *Nordic Landscapes: Region and Belonging on the Northern Edge of Europe*, eds. M Jones and K. R. Olwig. Minneapolis, MN: University of Minnesota Press, 12-49.

Schafer, R, M. 1977. *The Five Village Soundscape*. Vancouver: A. R. C. Pubication.

Stilgoe, John R. 2015. *What Is Landscape?* Cambridge: The MIT Press.

Yen, Y. 2005. *Calligraphy and Power in Contemporary Chinese Society*. London: Routledge Curzon.

赤木明登（2005）『漆　塗師物語』文藝春秋。

アリストテレス（1968）『アリストテレス全集十二』出隆訳、岩波書店。

アルパース、スヴェトラーナ（1993）『描写の芸術：一七世紀のオランダ絵画』幸福輝訳、ありな書房。

石内都（2017）『肌理と写真』求龍堂。

石川九楊（2009）『書く：言葉・文字・書』中央公論社。

今田匡彦（2015）『哲学音楽論：音楽教育とサウンドスケープ』恒星社厚生閣。

インゴルド、ティム（2014）『ラインズ：線の文化史』工藤晋訳、左右社。

インゴルド、ティム（2017）『メイキング：人類学・考古学・芸術・建築』金子遊他訳、左右社。

インゴルド、ティム（2021）『生きていること：動く、知る、記述する』柴田崇他訳、左右社。

ウィリアムズ、レイモンド（1985）『田舎と都会』山本和平他訳、晶文社。

ウィリアムズ、レイモンド（2011）『［完訳］キーワード辞典』椎名美智他訳、平凡社。

大森俊三（2007）「うるし掻き職人・大森俊三の技」『漆工は樹木の文化である』笹氣出版、75-96頁。

岡田温司（2010）『グランドツアー：十八世紀イタリアへの旅』岩波書店。

小野寺公夫（2007）「うるしの都合…わが師　澤口悟一先生に捧ぐ」『漆工は樹木の文化である』笹氣出版、121-155。

加藤典洋（1992）「風景以後」『現代思想　一九九二年九月号　特集　風景生態学』青土社、182-191頁。

柄谷行人（2008）『定本　日本近代文学の起源』岩波書店。

川村恵理（2020）『都市の肌理』PINHOLE BOOKS。

木村至聖（2007）「文化遺産イデオロギーの批判的検討：近代西欧の廃墟へのまなざしを手がかりに」『ソシオロジ』五十一巻三号：3-19頁。

ギブソン、ジェームズ・J（1985）『生態学的視覚論：ヒトの知覚世界を探る』古崎敬他訳、サイエンス社。

ギブソン、ジェームズ・J（2011）『生態学的知覚システム：感性をとらえなおす』佐々木正人他訳、東京大学出版会。

熊倉純子監修（2014）『アートプロジェクト：芸術と共創する社会』水曜社。

グルー、カトリーヌ（2000）「風景の出来事・世界の聴取：鈴木昭男の『オトダテ・プロジェクト』」『創造：現場から／現場へ』小林康夫・松浦寿輝編、東京大学出版会。

クレー、パウル（1981）『無限の造形』南原実訳、新潮社。

ケージ、ジョン；シャルル、ダニエル（1982）『ジョン・ケージ：小鳥たちのために』青山マミ訳、青土社。

コッチャ、エマヌエーレ（2019）『植物の生の哲学：混合の形而上学』嶋崎正樹訳、勁草書房。

コフカ、クルト（1998）『ゲシュタルト心理学の原理』鈴木正弥訳、福村出版。

坂田靖子（2012）『ベルデアボリカ　三』朝日新聞出版。

佐藤忠良（1997）『触ることから始めよう』講談社。

佐藤李青（2018）「芸術祭とアートプロジェクトは、新たな制度となりうるか？：プロジェクトからインスティテューションへ」『文化政策の現在2：拡張する文化政策』小林真理編、東京大学出版会、53-69頁。

澤口滋「提言『鳴子漆文化館』構想」『漆工は樹木の文化である』笹氣出版、57-71頁。

ジェイ、マーティン（2000）「近代性における複数の『視の制度』」、『視覚論』フォスター、ハル編、榑沼範久訳、平凡社、17-47頁。

ジェイ、マーティン（2017）『うつむく眼：二〇世紀フランス思想における視覚の失墜』亀井大輔他訳、法政大学出版局。

シェーファー、R・マリー（1980）『教室の犀』高橋悠治訳、全音楽譜出版社。

シェーファー、R・マリー（2006）『世界の調律：サウンドスケープとはなにか』鳥越けい子他訳、平凡社。

シェーファー、R・マリー（2009）『サウンド・エデュケーション〈新版〉』鳥越けい子他訳、春秋社。

シェーファー、R・マリー（2011）「特集によせて」『音楽教育実践ジャーナル』第9巻第1号、日本音楽教育学会、今田匡彦訳、6-9頁。

シェーファー、R・マリー；今田匡彦（2009）『音さがしの本《増補版》：リトル・サウンド・エデュケーション』春秋社。

シャーマ、サイモン（2005）『風景と記憶』高山宏；栂正行訳、河出書房新社。

清水誠（2004）「フリジア語とフリジア人について」『独語独文学研究年報』31巻：82-98頁。

杉浦日向子（2000）『YASUJI 東京』筑摩書房。

鈴木ヒラク（2012）「鋳造と投げ釣り」、インターネット、http://hirakusuzuki.blogspot.jp
鈴木ヒラク（2013）「都市と記号」、インターネット、http://hirakusuzuki.blogspot.jp
鈴木ヒラク（2015）「かなたの記号 / Signs of Faraway」、インターネット、http://hirakusuzuki.blogspot.jp
鈴木ヒラク（2016）「Drawing Tube」、インターネット、http://hirakusuzuki.blogspot.jp
セール、ミシェル（2016）『作家、学者、哲学者は世界を旅する』清水高志訳、水声社。

セルトー、ミシェル・ド（1987）『日常的実践のポイエティーク』山田登世子訳、国文社。

中尾真理（1999）『英国式庭園：自然は直線を好まない』講談社。

新畑泰秀（2003）「風景画への目覚め：十七世紀のイタリアとオランダ」『明るい窓：風景表現の近代』柏木智雄他編、大修館書店、1-26頁。

高橋悠治（2004）『音の静寂　静寂の音』平凡社。

武満徹（1996）『時間の園丁』新潮社。

田中直子（1986）「環境音楽のコト的・道具的存在性」『波の記譜法：環境音楽とはなにか』小川博司他編、時事通信社、117-147頁。

田辺悟（2014）『磯』法政大学出版局。

鶴見俊輔（1999）『限界芸術論』筑摩書房。

テクタイル（2016）『触楽入門：はじめて世界に触れるときのように』朝日出版社。

出口顯（2017）「ブリコラージュ、進化、メーティス」『現代思想三月臨時増刊号　人類学の時代』第四十五巻第四号、151-169頁。

渡久地健（2017）『サンゴ礁の人文地理学：奄美・沖縄、生きられる海と描かれた自然』古今書院。

鳥越けい子（1997）『サウンドスケープ：その思想と実践』鹿島出版社。

中川真（2007）『サウンドアートのトポス：アートマネジメントの記録から』昭和堂。

パノフスキー、エルヴィン（2004）『イデア：美と芸術のために』伊藤博明・富松保文訳、平凡社。

原研哉ゼミ（2007）『EX-fomation 皺』中央公論新社。

バルト、ロラン（1984）『第三の意味：映像と演劇と音楽と』沢崎浩平訳、みすず書房。

バルト、ロラン（1986）『美術論集：アルチンボルドからポップアートまで』沢崎浩平訳、みすず書房。

姫田道子（2012）「漆かき見聞録」『宮本常一とあるいた昭和の日本　二十三：漆・柿渋と木工』田村善次郎・宮本千晴監修、農山漁村文化協会、45-83頁。

平松幸三（1997）「風景としての音を聴く」『現代のエスプリ　サウンドスケープ』谷村晃・鳥越けい子編、至文堂、95-102頁。

フェルド、スティーブン（1988）『鳥になった少年：カルリ社会における音・神話・象徴』山口修他訳、平凡社。

フェルド、スティーブン（2000）「音響認識論と音世界の人類学」『講座 人間と環境11　自然の音・文化の音：環境との響きあい』山田陽一編、昭和堂、27-64頁。

フーコー、ミシェル（1974）『言葉と物：人文科学の考古学』渡辺一民・佐々木明訳、新潮社。

藤原辰史（2019）『分解の哲学：腐敗と発酵をめぐる思考』青土社。

二葉亭四迷（1940）『平凡　他六篇』岩波書店。

プロティノス（1987）『プロティノス全集　第三巻』田中美知太郎他訳、中央公論社。

ベーコン、フランシス（1978）『ノヴム・オルガヌム――新機関』桂寿一訳、岩波書店。

ペトラルカ（1989）『ルネサンス書簡集』近藤恒一編訳、岩波書店。

港千尋（2018）『風景論：変貌する地球と日本の記憶』中央公論新社。

宮岡伯人（1987）『エスキモー：極北の文化史』岩波書店。

三宅榛名（1982）『振りむけばダ・ヴィンチ：三宅榛名創作現場目撃インタヴュー集』文藝春秋。

メッツ、クリスチャン（1981）『映画と精神分析：想像的シニフィアン』鹿島茂訳、白水社。

メルロ＝ポンティ、モーリス（2014）『見えるものと見えざるもの〈新装版〉』中島盛夫他訳、法政大学出版会。

山田陽一（2000）「自然の音・文化の音」『講座人間と環境十一　自然の音・文化の音：環境との響きあい』山田陽一編、昭和堂、5-23頁。

山本英明（2002）『塗師屋のたわごと』角川書店。

雪山行二（2003）「序」『明るい窓：風景表現の近代』柏木智雄他編、大修館書店、iii-v頁。

吉澤弥生（2011）『芸術は社会を変えるのか？：文化生産の社会学からの接近』青弓社。

吉見俊哉（1992）『博覧会の政治学：まなざしの近代』中央公論社。

四柳嘉章（2006）『漆Ⅰ』法政大学出版局。

リクト、アラン（2010）『サウンドアート：音楽の向こう側、耳と目の間』荏開津；西原尚訳、木幡和枝監訳、フィルムアート社。

リッター、ヨアヒム（2002）「風景：近代社会における美的なものの機能をめぐって」『風景の哲学』安彦一恵；佐藤康邦編、ナカニシヤ出版、189-218頁。

レヴィ＝ストロース、クロード（1976）『野生の思考』大橋保夫訳、みすず書房。

鷲田清一（1996）『じぶん・この不思議な存在』講談社。

鷲田めるろ（2009）「アートプロジェクトの政治学：「参加」とファシズム」『展示の政治学』川口幸也編、水声社、237-253頁。

あとがき

小学校の中学年くらいから中国春蘭を育てていた。かといって、愛蘭家のおじさんたちのように、銘品と呼ばれる個体を蒐集して花を咲かせることに血道を上げていたわけではない。日本の春蘭の葉は、縁に鋸歯があり、ややくすんだ緑色で、硬い印象がある一方、大陸の春蘭は、鋸歯がなく、明るい緑色で滑らかな艶があった。その細長い根出葉が、偽鱗茎から緩やかに展開し、重なり合っている様子を見るのが好きだったのだ。その年に芽吹いた偽鱗茎の葉は、春夏の成長中は柔らかく薄緑色であるが、秋口になると厚みのある成木に落ち着き、奥行きのある艶を見せる。この艶は、筆舌に尽くしがたいものであった。

そんな少年が高校生になると、本書の序にあるように漆器の艶に目覚めるわけである。今思い返してみれば、中国春蘭の葉と漆器の両者に共通していたのは、その表面が「表面だけど表面じゃない」という感覚であった。「奥行きがある」などと言うと安っぽくはなるが、私を惹きつけた両者の表面は、表層／内部の断絶を微塵も感じさせなかった。困ったことに、この高校生は、それまで「将来○○になりたい」という感情を抱いたことがなかった。幼児園の卒園記念のビデオ撮影でも、同級生が「将来の夢は○○です」とか「一番の思い出は○○」などと言っているなか、頑なにポジティブな発言をすることを拒み続けた。主任教諭のおばさんと散々問答した挙句、落ち着いたコメントが「パイナップルが嫌いです」だった（実はそんなに嫌いじゃない）。

これが、高校生になると、なかなか切迫したものになってくる。卒業後の進路を決めなければならないのだ。都合の悪いことは、考えないようにするのに尽きる。ところが、時間は自ずと過ぎていくもので、進学先の大学を決めなければならないという事態になった。事の顛末をさっぱり憶えていないのだが、担任と面談をしているあいだに、なぜか進路として芸術系の学部を志望することになっていた。「美しい表面が好きだ」「美しいものについて学ぶなら芸術系の学部に入ればいい」という安直な理由だったのだろう。ところが、私は「絵を描きたい」とか「なにかを創りたい」などとは思ったことがなかった。担任は途方に暮れ、美術の先生に私を引き渡していった。本書の序に登場いただいた先生と同一人物であるのだが、少し話すうちに彼女が大学で漆芸を専攻していたことが分かる。彼女は一学年のときの担任であったのに、そんな話はそれまで一度も聞いたことがなかった。漆芸を専攻していたことがそんなに後ろめたいのだろうか…。面談を続けるうちに、東北圏内の国立大学で唯一、入試に実技試験を課さない美術系の専攻があることが分かった（私の地元は宮城県の三陸沿岸である）。それが、弘前大学教育学部に当時あった生涯教育課程の芸術文化専攻である。訳も分からぬまま、出願書類を揃え郵送してしばらく経った後、弘前大学の入試課から高校に電話がかかってきた。私の携帯にも何度か電話を入れていたらしいが、当時の私は「知らない番号だ」ということで無視していた。とんでもない話である。用件は、出願書類に一点不足があり、それは自身についてPRするものをまとめたファイルであるらしい。当然「ポートフォリオ」などという美術関係者の文化を知らない私は、「へんなものを要求する大学だ」と思っていた。件の美術の先生に相談したところ、「蘭と漆器の写真をスクラップすればいいじゃない」という話になった。

斯くして私は、栽培している中国春蘭とヤフオクで集めた漆器の写真のスクラップブックを事前に郵送し、芸術文化専攻の面接試験に臨んだわけである。そこに面接官として現われたのが、学部、修士、博士と渡って私の指導教員であった今田匡彦先生である。彼は「蘭作ってます。漆器集めてます」とよく分からない事を言う高校生に、「言いたいことがあるんだよね。それが言えるようになりたいですか」と聞き、高校生は「はい」と答えた。そんなわけで弘前大学に入学した私は、少々の紆余曲折があった後、今田匡彦研究室のゼミ生となったのである。驚くべきことに、今田先生は「音楽の肌理について：Jポップは聴こえない」（『音楽教育実践ジャーナル』五巻一号、二〇〇七年）、The grain of the soundscape: Re-examining music curriculum and policy in Japan（*Music Education Policy and Implementation: Culture and Technology*, 2010）等、音楽の「肌理」について研究していた。ここで、それまで私が中国春蘭の葉や漆器の塗面にもやもやと感じていた〈なにか〉に、それを研究するための「肌理」ということばの枠組みが与えられることになった。

という次第で、私が「肌理」という現在の研究キーワードと出会えたのは、今田先生のおかげである。本書『環境が芸術になるとき――肌理の芸術論』で、少しは言いたいことが言えるようになっただろうか。ここに感謝の意を表する。また、二〇一五年の春、私にインゴルドの『ラインズ』を紹介してくれ、本書にも、装画をはじめ作品写真の提供、intermission として収録されたインタビュー等多大な協力をくださった鈴木ヒラクさんに感謝する。ヒラクさんからは本書執筆中「楽しみにしています」というメールをいただき励みになった。そして、私の授業「地域プロジェクト演習――アート・プロジェクト入門」を受講し、そこでの気づきを美しいことばで教えてくれた二人の学生に感謝する。そして、英語文献からの引用箇所の翻訳を根気強くチェックしてくれた英語学者の近藤亮一先生、ヒラクさんの装画をもとにブックカバーのデザインを組んでくれた譚謙さんにも感謝する。最後に、春秋社編集部の中川航さんは、本書の刊行まで常に的確なコメントでサポートしてくださった。「環境が芸術になるとき」という本書の主題も中川さんから賜ったものである。心から感謝する。

二〇二一年十二月　白く覆われた弘前にて

髙橋憲人

〈装画・扉絵ほか〉

鈴木ヒラク（すずき・ひらく）

1978年生まれ。アーティスト。2008年東京藝術大学大学院美術研究科先端芸術表現専攻修了。2011-2012年アジアン・カルチュラル・カウンシルの助成によりアメリカに、2012-2013年公益財団法人ポーラ美術振興財団の助成によりドイツに滞在。現在、東京藝術大学大学院美術研究科グローバルアートプラクティス准教授。ドローイングと言語の関係性を主題に、平面・彫刻・映像・インスタレーション・パフォーマンスなどを制作。環境に潜在する線的事象の発掘行為を通して、現代の時空間におけるドローイングの拡張性を探求している。主な作品集に『GENGA』(2010、河出書房新社)、『SILVER MARKER —— Drawing as Excavating』(2020、HeHe) などがある。

部扉（原画）
《光の象形文字（フロッタージュ）#01, #02, #06》（2011年）
紙にグラファイト　770×550mm
©Hiraku Suzuki

図5-2　《bacteria sign (circle)》（2000年）
〔口絵〕土、枯葉、アクリル、木製パネル　各450×450×9mm
金沢21世紀美術館での展示風景（写真：福永一夫）
©Hiraku Suzuki

図5-3　《光の象形文字 #06》（2011年）
〔口絵〕アルミニウム　370×300×50mm
©Hiraku Suzuki

図5-4　《Manhole Test（東京）》（2002年）
東京のマンホールのフロッタージュ14点　各354×1030mm
JR山手線での展示風景（写真：神宮巨樹）
©Hiraku Suzuki

〈著者略歴〉

高橋憲人（たかはし・けんと）

1990年生まれ。専門は芸術教育学、生態芸術論。2019年弘前大学大学院地域社会研究科地域社会専攻修了（博士（学術））。弘前大学大学院教育学研究科、教育推進機構教養教育開発実践センター、国際連携本部で非常勤講師を務める。現在、弘前大学大学院地域社会研究科客員研究員、津軽漆連代表。10代より漆器の肌理に魅せられ、芸術の肌理について研究している。著書に『Drawing Tube vol. 01 Archive』（共著、2017、Drawing Tube）、『大学的青森ガイド――こだわりの歩き方』（分担執筆、2019、昭和堂）がある。

環境が芸術《アート》になるとき

肌理《きめ》の芸術論

2022年1月31日　初版第1刷発行

著　者————高橋憲人
発行者————神田　明
発行所————株式会社 **春秋社**
〒101-0021東京都千代田区外神田2-18-6
電話03-3255-9611　振替00180-6-24861
https://www.shunjusha.co.jp/
印　刷————株式会社 太平印刷社
製　本————ナショナル製本 協同組合
装　画————鈴木ヒラク《Circuit #03》
装　幀————譚　謙

ISBN 978-4-393-33388-4　C0070
定価はカバー等に表示してあります。

R・マリー・シェーファー、今田匡彦

音さがしの本
リトル・サウンド・エデュケーション

身近な自然の音、さりげない日常の音に耳を澄ますことにより、世界に対する素直な感性と優しい心を育ててゆく——魂の癒しをもたらす、子どものためのワークブック。〈増補版〉

一九八〇円

山田陽一

響きあう身体
音楽・グルーヴ・憑依

音楽の不思議な魔力、音楽と身体の不可分な親和性はどこから来るのか。音響人類学的視点から、音楽・演奏と関わる「グルーヴィーな身体」の謎を根源から読み解く画期的論考。

三三〇〇円

佐々木正人

レイアウトの法則
アートとアフォーダンス

〈物〉と〈人間〉の関係を探究する心理学＝アフォーダンスの最新局面とアーティスト達との刺激的邂逅。絵画、建築、写真、ブックデザインの現場に〈レイアウト〉の法則を探る。

二五三〇円

渡辺　裕

まちあるき文化考
交叉する〈都市〉と〈物語〉

文学散歩や映画のロケ地巡礼など、作品世界と紐づけられて生成・変容する都市のイメージと、あわいに生じた文化のありようを描き出す。無縁坂や小樽、軍艦島などをめぐる全5章。

二六四〇円

熊倉敬聡

藝術2・0

行き場を失った現代アートの世界を離れ、その外側に息づく営為に新たな創造性の萌芽を見出す。工芸、発酵、坐禅、コミュニティ、茶道……に紛れ込んでいる「藝術2・0」とは？

二四二〇円

熊倉敬聡

GEIDO論

人類のもつ創造性を結晶させる術としての〝アート〟はどこに向かうのか。既存の概念や思想を捉え直し、エロスやマネーまでも包摂した概念としてGEIDO（藝道）を説く。

三五二〇円

▼価格は税込（10%）。